Dans les coulisses de *110 %*

Daniel Poulin

Dans les coulisses de *110 %*

Les Éditions au Carré inc.
Téléphone : 514 949-7368
editeur@editionsaucarre.com
www.editionsaucarre.com

Dessins des couvertures : Marc Fortin
Mise en page : Édiscript enr.
Correction : Mélanie Trudeau

Les Éditions au Carré remercient la Société
de développement des entreprises culturelles
(SODEC) du soutien accordé à leur programme
de publication.

© Les Éditions au Carré inc., 2010
Dépôt légal :
4e trimestre 2010
ISBN : 978-2-923335-29-2

DISTRIBUTION
Prologue inc.
1650, boulevard Lionel-Bertrand
Boisbriand (Québec) Canada J7H 1N7
Téléphone : 1 800 363-2864
Télécopieur : 1 800 361-8088
prologue@prologue.ca
www.prologue.ca

Table des matières

À Jean Denoncourt, décédé le 2 novembre 2001
lors d'un accident d'automobile
après s'être endormi au volant au retour de 110 %

Préface de Pierre Trudel

110 % : *une émission culte ? Sans doute.*
110 % : *une émission d'information ? Non.*
110 % : *un show ? Nous y voilà.*

Un show avec débats enflammés, diront certains ; criards, affirmeront d'autres. Mais des débats entre des intervenants qui auront contribué à écrire toutes les petites histoires qui ont marqué, façonné, cette émission dont tant de gens ont parlé, tout en niant la regarder.

Ce livre, signé Daniel Poulin, c'est du bonbon. Vous aurez de la difficulté à ne pas le lire d'un seul trait. J'emprunte ici à Jean Perron : « L'auteur n'y va pas avec le dos de la main morte. » Tous ceux qui ont débattu à 110 % y passent, sauf trois ou quatre, notamment Pierre Rinfret sur qui Poulin écrit : « Mon père m'a dit un jour : "Mon fils, si tu n'as rien de bon à dire sur quelqu'un, tais-toi." »

La table était mise et tout le monde y passe. L'auteur nous amène vraiment dans les coulisses de 110 %, s'attardant sur les principales têtes d'affiche, notamment Michel Villeneuve, qui affirme — deux fois plutôt qu'une — avec arrogance : « Le meilleur, c'est moi… le meilleur débatteur, c'était moi » et qui s'approprie à toutes fins utiles la paternité de l'émission.

Probablement que TQS est devenu V pour V… illeneuve !

Arrivé dans le monde du sport après quelques années passées dans celui du spectacle, j'ai toujours affirmé qu'il y avait plus de bitchage *dans le premier que le dernier. Daniel Poulin le démontre, et vous constaterez qu'on jouait souvent plus dur en coulisses que devant les caméras.*

Du bonbon, que je vous dis !

À 110 %, on a préféré le spectacle à l'info, les échanges criards plutôt que les déclarations posées. Beaucoup ont aimé, beaucoup n'ont pas aimé. Tous doivent lire ce livre impossible à résumer ici, en quelques lignes, tant le contenu est révélateur. Vous allez apprécier. Garanti.

Pierre Trudel a connu une carrière prolifique à la radio, principalement à CKAC où il a animé, durant 20 ans, Les amateurs de sport. *Pendant sept ans, il a signé la chronique « Antennes » au journal* La Presse.

Avant-propos

S'il faut en croire plusieurs observateurs du milieu des médias, le monde du sport traverserait une sombre période et la crédibilité de certains membres de la tribune sportive serait à son plus bas niveau. Le collègue Robert Frosi de Radio-Canada n'y va pas de main morte : « Sous le prétexte du commentaire, on dit des choses absolument démentielles. On pourrait être poursuivi pour avoir dit de telles choses [1]. »

Dans la même veine, on pointe du doigt les nombreuses émissions — radio et télé — consacrées aux débats entourant l'univers des sports. On affirme qu'elles seraient à l'origine du nivellement par le bas du journalisme. Et bien sûr, la mère de tous ces écarts de langage, c'est *110 %*, qui a engendré la prolifération de ces débats supposément éclairants.

Voilà une accusation facile, mais injustifiée, *110 %* n'ayant jamais eu la prétention de faire du journalisme. D'abord et avant tout, *110 %* était un show, un spectacle. Il m'aura fallu beaucoup de temps avant d'en prendre véritablement conscience, moi qui provenais de la vénérable Société Radio-Canada. J'y ai passé plus de 25 ans de ma vie professionnelle, dont 20 ans à Toronto. À Radio-Canada, le « je » ne doit pas faire partie du vocabulaire des journalistes tandis qu'à *110 %*, l'ego des participants était à l'avant-plan. « Vingt fois sur le métier remettez votre ouvrage », disait Boileau. Éric Lavallée, le maître d'œuvre de *110 %*, s'inspirait sans doute du grand poète français, ne cessant de répéter 20 fois plutôt qu'une le même message :

---

1. *Christiane Charette*, 27 janvier 2010.

« Mettez-en, monsieur Poulin, choquez-vous, parlez fort, ne vous gênez pas ! »

Cette façon de faire en ondes allait un peu (beaucoup) contre tout ce qu'on m'avait enseigné dans une autre vie de communicateur. Nombreuses sont les occasions où j'aurais souhaité ne pas avoir proféré les énormités qui sont sorties de ma bouche dans le feu de l'action. Mais voilà : c'était précisément ce que le client demandait. Être arrogant, outrancier, agressif afin de faire du show-business, tout cela constituait l'essence même des débats. Se laisser aller, oublier la caméra et le micro, donner libre cours à tout ce qui vous passait par la tête : telle était la formule de cette émission qui ne laissait personne indifférent.

L'émission ratissait large. Tous les publics étaient atteints : hommes et femmes, jeunes et vieux, intellos et ouvriers, riches ou pauvres. Personne n'y échappait et tous avaient une opinion sur l'un et l'autre des débatteurs. Toutes ces années où j'ai participé à cette émission quotidienne, j'ai constamment reçu les commentaires et réactions — pas toujours polis — d'un public extrêmement allumé. Que ce soit dans la rue, au restaurant, en autobus ou dans le métro, ces témoignages confirmaient un fait indéniable : *110 %* faisait partie des mœurs et du quotidien des gens.

Un thème revenait sans cesse : comment vous entendez-vous entre débatteurs en dehors des ondes ? La réponse à cette question, vous la trouverez dans ce livre. Avec les nuances qui s'imposent. Dans l'ensemble, tous les débatteurs se conduisaient de façon civilisée avant et après les débats. Certes, il y a eu des débordements. Certains en sont presque venus aux coups. Des échanges verbaux acrimonieux font également partie de la petite histoire de l'émission. Oui, Michel Villeneuve faisait suer ; oui, Gabriel Grégoire était bizarre ; oui, Serge Amyot aimait piquer et provoquer ; oui, « Ti-Guy » Émond amusait et se livrait à des pitreries. Mais tous faisaient partie de la même équipe et chacun était accepté dans un climat de bonne camaraderie et de saine rivalité. Des débatteurs ont même développé des relations intenses après s'être connus dans le contexte de l'émission. Une maquilleuse et un débatteur ont éventuellement formé un couple. Et que dire de ce commentateur qui s'est rapproché d'une invitée lors d'une soirée particulièrement animée ? Leurs débats se sont vite transformés en ébats plutôt athlétiques sur le matelas à tel point qu'on raconte que le lit s'est effondré, le couple se retrouvant sur le plancher !

Durant 10 ans, *110 %* aura donné lieu à des émissions de plaisir intense, de simplicité désarmante, de vécu sincère et de souvenirs intarissables. Il est malheureux que le show ait disparu. Sa remplaçante aura eu beau tenter de remplir le vide créé par son absence, elle n'y est pas vraiment parvenue. On ne peut se copier soi-même et espérer arriver au même résultat.

Tout comme les Nordiques et les Expos, *110 %* fait partie de notre histoire. Renaîtront-ils un jour ? Les Nordiques : on peut l'espérer ; les Expos : peu probable ; *110 %* : qui sait !

Mise au point

Quelques débatteurs sont absents de ce portrait de *110 %* pour diverses raisons, à commencer par ceux qui n'étaient qu'occasionnels à *110 %* avant de devenir habituels à *L'attaque à 5* (p. ex. Richard Labbé et Tony Marinaro). J'ai approché Pierre Lecours au téléphone et sa réaction fut fidèle au personnage : « Ça ne m'intéresse pas et je n'en ai rien à foutre. » Moult tentatives de rencontrer Yvon Pedneault et Guy Émond se sont soldées par un échec, tous les deux accumulant les excuses pour ne pas se présenter. Après avoir d'abord manifesté un certain intérêt pour la chose, Serge Amyot a finalement décliné mon invitation, à mon grand désarroi, prétextant ne plus vouloir être sous les feux de la rampe. Quant à Gabriel Grégoire, non seulement ne souhaitait-il pas contribuer à ce projet, mais en plus, il n'a pas voulu préciser le pourquoi de son refus. Finalement, j'ai préféré ne pas inclure Pierre Rinfret dans les coulisses de *110 %*, me rappelant ce conseil de mon défunt père, homme de peu de mots, qui m'avait dit un jour : « Mon fils, si tu n'as rien de bon à dire sur quelqu'un, tais-toi. »

Chapitre 1

Le premier animateur, Paul Rivard

Une première saison sans débats

Pas de doute, les débats enflammés entre les grosses têtes d'affiche ont propulsé *110 %* dans les ligues majeures de la télévision. C'est grâce aux prises de bec parfois violentes entre les Bergeron, Villeneuve, Perron et Grégoire, pour ne nommer que ceux-là, que le public syntonisait, soir après soir, TQS. Paul Rivard en est bien conscient. Pourtant, le premier animateur de la quotidienne est passé à un cheveu près d'être remercié par la direction de la station avant même d'avoir pu diriger un seul débat.

Printemps 1998, Rivard revient de Nagano, après une affectation aux communications pour l'équipe canadienne aux Jeux olympiques. Le téléphone sonne. Au bout du fil, Luc Doyon, le nouveau directeur de la programmation du Mouton Noir qui a l'énorme défi de relancer une station aux prises avec toutes sortes de difficultés. Doyon lui offre d'animer une émission sportive, un créneau quasi inexistant dans la programmation de TQS. La proposition est alléchante, mais elle survient au moment où la plupart des animateurs vedettes claquent la porte pour fuir le réseau en perte de vitesse.

« Je faisais partie des rarissimes personnes qui, au lieu de sortir de TQS par les portes tournantes, étaient d'accord pour y entrer. Luc Doyon avait en tête un magazine irrévérencieux, présenté en fin de soirée et qui devait aller chercher même les plus rébarbatifs au sport. J'ai accepté », se rappelle l'ex-animateur.

La formule de l'émission est mitonnée durant le printemps. Rivard prend la barre d'un magazine d'une heure durant laquelle des chroniqueurs résument des livres ou des films de sport. Des portions d'entrevues et de résultats sont également au programme. Aucun débat n'est prévu dans cette quotidienne qui s'apparente davantage à un talk-show à ses débuts en septembre 1998. Même le nom *110 %*, tiré du cliché sportif bien connu, n'est pas envisagé. Les patrons souhaitent baptiser le nouveau magazine *C'est du sport*. Le mérite derrière le titre finalement adopté revient au recherchiste Guy Lachance. « Tout le monde a crié au génie et c'est resté », se remémore Paul Rivard. Aussi brillant soit-il, le nom de l'émission n'allait pas, seul, suffire à attirer le public.

Pour la première, les diffuseurs misent sur un contenu plus glamour pour séduire les téléspectateurs. Plusieurs reportages de l'émission traitent de l'ouverture du restaurant montréalais Planet Hollywood. De nombreuses personnalités sportives avaient défilé sur le tapis rouge, et TQS espérait attirer des adeptes autant de sport que de showbiz avec ces images. Erreur ! Les réseaux adverses n'ont jamais été inquiétés ce soir-là, du moins pas TVA, qui a opposé dans le même créneau horaire *Le Point J*. Bref, les cotes d'écoute devaient exploser, mais chez… le concurrent. « Quand tu commences contre *Le Point J* et Julie Snyder, tu sais qu'il n'y en aura pas de facile », observera Paul Rivard.

Au bout de trois mois de cotes d'écoute décevantes — en deçà de la barre symbolique des 100 000 téléspectateurs —, le magazine qui durait initialement une heure est tronqué de 30 minutes. Malgré les présences répétées du Doc Mailloux, l'invité le plus populaire des premières émissions selon Rivard, le public ne suit pas. « Le Doc avait fait des chroniques extraordinaires sur les parents fous au hockey et la violence dans le sport. Il traitait de sujets chauds comme l'homosexualité et le machisme au hockey. Mais les résultats en termes de cotes d'écoute n'étaient pas là. »

La télévision est un milieu extrêmement ingrat envers ses artisans. Les résultats aux sondages bisannuels font foi de tout pour les annonceurs, et les décideurs le savent très bien. Les piètres performances de la première saison de *110 %* ne laissaient rien présager de bon pour la suite des choses. Malgré la durée raccourcie à 30 minutes en 1999, l'émission ne décolle toujours pas. Un jour de février, Luc Doyon dîne avec Paul Rivard et les nouvelles qu'il entend lui communiquer sont loin d'être réjouissantes. « Il m'a dit, écoute, c'est fini. En mai, on va couper le show, ça ne fonctionne pas, je me suis trompé. » L'émission qui allait lancer la mode des débats sportifs s'apprêtait à mourir avant même d'avoir présenté un seul de ces affrontements verbaux. Plutôt paradoxal.

La fin de *110 %* avait beau être annoncée pour mai, il fallait encore diffuser trois mois de quotidiennes. Malgré sa déception, l'équipe se réunit au début du mois de mars afin de revoir le concept, au moins pour tenter de récolter de meilleurs résultats aux sondages printaniers. Durant le brainstorming, l'idée d'un débat entre grosses pointures qui discuteraient d'un sujet sportif est lancée de façon anodine.

D'où pouvait bien venir cette suggestion qui allait permettre à *110 %* de reprendre son souffle, et, même, de conserver l'antenne jusqu'en 2009 ? Paul Rivard a sa petite idée là-dessus. Il se souvient que Réjean Tremblay, l'un des premiers chroniqueurs de l'émission, avait « ses entrées auprès de la haute direction ». L'ancien animateur imagine très bien le chroniqueur de *La Presse* suggérant aux patrons de TQS d'incorporer des débats au magazine.

« Réjean visait toujours à se placer quelque part, ce n'était jamais tout à fait gratuit, confie Paul Rivard avec le sourire. Je me rappelle qu'il m'a dit : "Ce serait formidable si on faisait des débats avec des vieux chroniqueurs comme moi." Je ne serais pas surpris qu'il en ait glissé un mot à Luc Doyon. »

L'expérience est donc tentée une première fois en mars. Le déclic est instantané : tant la direction que le public embarque. Si bien qu'en mai, les débats sont insérés dans la quotidienne à raison de trois fois par semaine. La suite fait désormais partie de la petite histoire. L'émission reviendra en ondes en 2000 et le restera durant neuf ans en misant exclusivement sur cette formule de débat journalier qui a fait sa renommée.

Tensions et controverses

Réunir quatre ou cinq experts, tous convaincus de leur point de vue, autour d'une même table provoque inévitablement des flammèches. À titre d'animateur, Paul Rivard s'est retrouvé la plupart du temps au cœur de débats explosifs qui ont parfois dégénéré. En plus de gérer les propos des invités, il devait tenir compte de leur ego «souvent aussi gros que la place Ville-Marie», dira-t-il dans une entrevue accordée à *The Gazette* en mars 2003. Bien souvent, Rivard avait la tâche ingrate d'intervenir, sans pour autant éteindre complètement le feu, puisque l'émission diffusée en direct faisait évidemment ses choux gras des violentes disputes de ses débatteurs.

Les débordements étaient inévitables, mais un soir de mai 2002, l'émission a carrément dérapé. La veille, Jean Perron, un régulier des débats, avait laissé entendre que le hockeyeur Yanic Perreault n'avait pas disputé le cinquième match de la demi-finale du Canadien contre les Hurricanes de la Caroline, non pas parce qu'il était malade, mais parce que son entraîneur, Michel Therrien, lui avait demandé de rester chez lui.

Perron alléguait que ses sources étaient en béton au sein de l'organisation du Tricolore. Il était formel : Therrien était en froid avec son joueur de centre. Le lendemain, le journaliste François Gagnon et le commentateur Pierre Rinfret ont laissé entendre avant le début de *110 %* qu'ils allaient remettre Jean Perron à sa place. Les deux débatteurs ont tout fait pour démolir la crédibilité de l'ancien entraîneur du Canadien, l'accusant de n'être qu'un «ouvreux» de porte et remettant en doute la véracité de ses sources. (Nous reviendrons sur cet épisode dans un prochain chapitre.)

«C'est la première fois que quelqu'un a été attaqué et tabassé en ondes», se souvient Paul Rivard. S'il confesse avoir été attristé par ces propos virulents et démesurés, il admet n'avoir rien fait pour s'opposer à ce véritable lynchage en direct. Avec le recul, Rivard croit qu'il aurait dû intervenir lorsqu'il a senti l'huile bouillir. Il a préféré laisser la triste scène se poursuivre, pressentant des cotes d'écoute monstres. «Nous ne savions pas ce que nous tenions entre les mains, mais nous savions que c'était une bombe à marketing. Ça allait être *the talk of the town*. Si quelqu'un avait grimpé par-dessus la table, qu'est-ce que nous aurions fait ? Nous serions intervenus. Éric Lavallée et moi, nous communiquions via écouteurs. Nous faisions du spectacle, alors oui, nous rêvions que deux personnes s'empoignent vigoureusement, nous ne mentirons pas. Nous ne voulions pas de blessés, mais il y a des émissions qui ont fait la manchette pour moins que ça. »

L'histoire a eu un impact considérable dans les médias. Quelques mois plus tard, la une du cahier des sports du quotidien *The Gazette* était consacrée à *110 %*. « On faisait le *front* d'un journal anglophone, c'était rendu vraiment gros », dit l'ex-animateur. Plusieurs mois après l'incident, les journalistes parlaient encore de ce qui était devenu « l'Affaire Jean Perron ». Au lancement de la programmation à l'automne 2003, Paul Rivard se souvient d'avoir répondu à des questions à ce sujet. Beaucoup de fidèles de l'émission se demandaient si le torchon brûlait toujours entre Jean Perron et les débatteurs Gagnon et Rinfret.

Celui qui a tenu cinq ans la barre de *110 %* a aussi eu sa part de conflits à l'interne. L'ancien animateur ne s'en cache pas, ses relations n'ont jamais été au beau fixe avec Michel Villeneuve. Les tensions entre les deux communicateurs remontent au tout début de l'émission. Malgré une première saison difficile, Rivard remporte en mars 1999 le premier de quatre MétroStars que lui vaudra l'animation de la quotidienne. Les statuettes remportées par les artisans de TQS n'étaient pas légion à cette époque. « Je pense qu'il y avait juste Sonia Benezra qui en avait gagné un, huit ans plus tôt », se remémore le récipiendaire. Fière de ce premier MétroStar pour *110 %*, la direction du Mouton Noir convoque tous ses employés pour une réunion spéciale. « J'étais seul à présenter un trophée, tout le personnel était là. Une seule personne me tournait le dos, assise à son pupitre, c'était Michel Villeneuve. Il était ridicule, un vrai clown. Il était à son pupitre alors qu'il y avait 200 personnes qui me regardaient », raconte Paul Rivard.

L'ancien animateur soutient même que Villeneuve a tenté à plusieurs reprises de faire dérailler l'émission. Il serait allé voir

Luc Doyon pour lui dire que le monde sportif n'appréciait pas le concept qui était voué à l'échec. Ironie du sort, le présumé détracteur se retrouvera quelques années plus tard dans le siège même de Rivard, devenant son remplaçant à l'occasion.

Paul Rivard reconnaît toutefois que le ton « baveux » et l'attitude irrévérencieuse de Michel Villeneuve contribuaient à mousser le succès de l'émission. Il se rappelle en particulier un épisode durant le lock-out à Radio-Canada en 2002 où l'équipe de *La soirée du hockey* avait été invitée à débattre à *110 %*. Éric Lavallée avait concocté en ouverture un montage particulièrement savoureux avec les quatre visages des commentateurs du hockey de la SRC. « Et, dans le coin, il y avait la face de Michel Villeneuve qui sortait du Q de TQS. Éric s'était amusé comme un enfant », dit Rivard. Cette soirée fait d'ailleurs partie de ses plus beaux souvenirs à la barre de la quotidienne.

L'ex-animateur le reconnaît, il a toujours eu le pif pour alimenter les différends entre les invités. Les ego parfois démesurés des débatteurs lui facilitaient souvent la tâche, mais il ne se gênait pas pour y ajouter son grain de sel, au risque de provoquer des dégâts. Un soir, alors que l'émission portait sur la Formule 1, une violente dispute a éclaté entre Bertrand Godin et Réjean Tremblay. Ce dernier n'avait pas digéré que l'ex-pilote lui reproche en ondes de courir les conférences de presse uniquement pour manger des petits sandwichs. « Tremblay était en *ta…* ! Je n'ai même pas besoin de décrire sa colère. Moi, j'ai senti que j'avais encore de la matière, donc j'ai alimenté la chicane », dit Paul Rivard. Bertrand Godin, pour sa part, a cessé sa collaboration durant plusieurs mois après cette soirée. Plusieurs autres épisodes de tension sont survenus, notamment avec Michel Villeneuve et Bertrand Raymond, qui n'ont jamais pu sentir Gabriel Grégoire, et n'ont jamais manqué de le lui signifier.

Paul Rivard travaillait en étroite collaboration avec le responsable au contenu, Éric Lavallée, mais il soutient n'être jamais intervenu dans le choix des invités. Évidemment, les décisions de Lavallée étaient prises en fonction des répercussions probables du passage des débatteurs. Cela explique pourquoi Gabriel Grégoire est devenu un régulier. Chacune de ses présences provoquait des étincelles. Ses propos, parfois très controversés, étaient souvent mal accueillis, même sur le plateau, si bien que la moitié de l'équipe de *110 %* le détestait. « On se demandait parfois s'il ne sauterait pas de l'autre côté de la table pour se battre avec Michel Villeneuve, dit Rivard. Peu importe si ce que disaient les débatteurs était gros comme le bras, s'ils faisaient un bon show, ils étaient rappelés. »

La direction de TQS ne cherchait pas foncièrement à créer tous ces esclandres, mais ils étaient bienvenus. « On n'a jamais créé une fausse engueulade. Les sujets étaient choisis et les débatteurs adoptaient une position. Parfois, comme dans l'Affaire Jean Perron, on s'est rendu compte trop tard, en voyant les dommages collatéraux, qu'on aurait dû agir plus vite. Mais on avait l'excuse du direct, et ça reste une bonne excuse », affirme Rivard.

En dépit de ces rivalités, une réelle complicité s'était installée entre les réguliers de *110 %*. Les débats se poursuivaient souvent même une fois l'émission terminée. Un soir où les échanges avaient été particulièrement intéressants, Paul Rivard se rappelle avoir continué la discussion à l'extérieur de la station jusqu'à minuit et demi, une heure après la fin de la quotidienne. « On écoutait les histoires de Michel Bergeron sur le Canadien. On l'écoutait dehors, sur le trottoir, devant la porte barrée de TQS, tellement on aimait ce qu'on faisait. »

Une émission culte

Les débats de la quotidienne ont atteint une popularité inespérée. L'émission est parvenue à attirer jusqu'à un sommet de plus de 400 000 fidèles dans ses meilleures soirées. En quelques mois, Paul Rivard est devenu la coqueluche du public. On l'apostrophait régulièrement pour lui demander son avis sur tel joueur de hockey ou sur telle décision de l'état-major du Canadien. Dans les semaines qui ont suivi l'Affaire Jean Perron, les fidèles de *110 %* ont été nombreux à s'enquérir de l'état des relations entre l'ex-entraîneur et les autres débatteurs. Les téléspectateurs ont d'ailleurs été très durs à l'égard de Rivard à la suite de cet incident. Il a reçu des centaines de courriels de gens qui prenaient majoritairement la défense de Perron. L'animateur était très sensible à ces critiques. « Je voulais faire l'unanimité, je voulais que tout le monde m'aime. Mais avec cette histoire, on s'est fait ramasser d'aplomb », confie-t-il.

Le pilote de *110 %* adorait son statut privilégié à la barre d'une quotidienne désormais ancrée dans les habitudes télévisuelles des Québécois. Il dirigeait une émission qui attirait la masse, et cette idée lui plaisait énormément. Un jour qu'il se trouvait au Salon national de la pourvoirie, chasse et pêche, un représentant de cette organisation l'a interpellé pour le féliciter. « Il me parlait comme si j'étais un coach ou un proche parent. Il m'a dit : "Te rends-tu compte à quel point vous avez quelque chose d'extraordinaire entre les mains. C'est simple, *110 %* est une émission culte." J'ai alors vraiment réalisé qu'on avait obtenu ce statut tant convoité en télévision. Le titre de notre émission était rentré dans la société au même titre que Kleenex l'est pour le mouchoir en papier. »

Voilà pourquoi il a toujours été déçu que certains influents chroniqueurs de quotidiens crachent sur l'émission malgré sa popularité. « À *La Presse*, Pierre Trudel a toujours été très hautain lorsqu'il parlait de nous. Ronald King a aussi levé le nez sur *110 %* », déplore-t-il. Bertrand Raymond du *Journal de Montréal* regardait aussi la quotidienne de haut, selon Rivard, même s'il était lui-même débatteur à l'occasion. « Il appelait ça le *freak show* », se souvient l'ex-animateur.

Un départ incompris du public

En 2003, *110 %* est à son apogée. Les débats houleux sont fréquents et le public demeure fidèle, malgré l'heure tardive de la quotidienne. Aux commandes de l'émission depuis maintenant cinq ans, Paul Rivard est totalement à l'aise dans son rôle, et tout semble indiquer qu'il sera de retour à l'automne pour piloter une autre saison. Mais, mini-coup de théâtre dans le monde de la télé, TQS annonce durant l'été qu'elle se lance dans la bataille des émissions matinales avec *Caféine*. Le Mouton Noir avait décidé lui aussi de produire son magazine pour concurrencer *Salut, Bonjour !* et Guy Mongrain, qui jouissaient d'un quasi-monopole tôt le matin. Autre surprise, l'animation de cette nouveauté est confiée à Paul Rivard ! Dans le petit milieu de la télévision, et surtout, de *110 %*, c'est la consternation. Son départ de *110 %* prend tout le monde par surprise et les rumeurs de renvoi camouflé fusent de toute part. Rien n'est plus faux, argue toutefois le principal intéressé. « J'ai quitté *110 %* pour accepter l'offre la plus extraordinaire de toute ma carrière. C'était l'apogée, le pinacle ! On me nommait animateur d'un magazine de trois heures lancé contre *Salut, Bonjour* ! C'est la plus belle chose qui me soit arrivée dans ma vie professionnelle. »

Le vétéran communicateur ne pouvait laisser passer pareille occasion. Avec la couverture de cinq jeux olympiques derrière la cravate, Rivard, qui avait également été affecté aux sports à *Salut Bonjour* en début de carrière, voit l'occasion de prouver l'étendue de son talent. « Je pouvais démontrer que je n'étais pas unidimensionnel et traiter d'actualité générale et pas seulement de sujets sportifs. Je ne vois pas pourquoi on m'aurait mis dehors de *110 %*, qui roulait tout seul, pour me lancer dans *Caféine* », dit-il. Même s'il ne s'agissait pas de sa principale motivation, l'ex-animateur confie sans pudeur que le traitement associé à ses fonctions à *Caféine* l'a aidé à prendre la décision d'accepter ce nouveau poste matinal.

Paul Rivard est demeuré avec le Mouton Noir jusqu'à l'hiver 2005. Après 16 ans de « télévision extrême » comme il l'a qualifié lui-même, celui qui n'avait jamais travaillé en fonction d'un horaire de neuf à cinq a choisi de se consacrer exclusivement à la boîte de production Communications Rivage, dont il est le copropriétaire. Son passage à *Caféine* ne l'a pas empêché de suivre le développement de *110 %*, qui est demeuré en ondes six ans après son départ.

De par sa position d'observateur, il a été en mesure de juger la quotidienne d'un œil plus critique. Il reconnaît les bons coups du coordonnateur Éric Lavallée qui a toujours eu, dit-il, un flair incroyable pour inviter des débatteurs qui allaient accrocher le public. Enrico Ciccone, Marc Bureau, Dave Morissette et Gabriel Grégoire ont tous été recrutés par Lavallée. « La liste de personnes qu'il a mises sur la *mappe* est hallucinante. Tous ces gars lui doivent une fière chandelle, c'est un peu grâce à Éric si on les voit ailleurs aujourd'hui », affirme Paul Rivard.

C'est d'ailleurs Lavallée qui a milité pour que Jean Pagé hérite de l'animation de *110 %*, au dire de Rivard. Que pense-t-il de son successeur ? Il refuse de se prononcer. « Leurs cotes d'écoute ont augmenté après mon départ, mais à mon avis, l'animateur ne sera toujours qu'un accessoire dans une quotidienne de ce genre-là. Il doit être bon, mais ce qui fait la force du show, ça demeurera toujours les débats. Et je n'enlève rien à Jean en disant ça. »

Fait intéressant, ce n'est pas Pagé, mais bien Mario Langlois, qui fut d'abord pressenti pour prendre la relève de Paul Rivard. Un imbroglio entre Quebecor et la station de radio CKAC allait toutefois changer le cours des choses. En 2003, des rumeurs persistantes laissaient entendre que le groupe de presse dirigé par Pierre-Karl Péladeau s'apprêtait à mettre la main sur CKAC. Langlois animait alors *Les amateurs de sports* à la station AM. La direction de TQS lui avait offert les rênes de *110 %* et un communiqué annonçant la nouvelle devait être diffusé incessamment. « Mario était notre premier choix, dit Luc Doyon. Je l'avais rencontré et il était emballé par le rôle. Sauf qu'il devait s'assurer que son contrat à la radio ne contenait pas de clause d'exclusivité, car, s'il en contenait une, je savais que TVA, une fois propriétaire de CKAC, ne le laisserait pas animer un show à TQS. »

Après vérification, Mario Langlois a recommuniqué avec Doyon pour lui expliquer qu'une telle entente le liait effectivement à CKAC. « La même journée, le patron de TVA, Raynald Brière, m'a convoqué dans son bureau, se souvient Langlois. Il m'a gentiment expliqué, avec le sourire, qu'il me poursuivrait si j'allais à TQS, et que c'est à TVA que j'obtiendrais une émission de sport. » Sans même être encore propriétaire du 730 AM, Quebecor agissait comme si cette station lui appartenait déjà. Une pratique d'affaires pour le moins étonnante, surtout que la transaction ne sera finalement jamais conclue entre CKAC et TVA.

Mario Langlois aurait toutes les raisons d'en vouloir aux patrons de TVA. Non seulement n'a-t-il jamais été à la barre des débats de *110 %*, mais il a également dû faire une croix sur un poste d'animateur à TVA. «Avec *Les amateurs de sports* et *110 %*, j'aurais été en excellente position, admet Langlois. Mais c'est la vie. Dans ce milieu, on profite des contrats qui passent. Je me considère quand même comme chanceux au niveau professionnel.»

Alors qu'il animait *Caféine*, Paul Rivard a assisté en spectateur à l'émergence des débats sportifs chez les réseaux concurrents. Radio-Canada a d'abord emboîté le pas au Mouton Noir en lançant à l'automne 2005 *Au-dessus de la mêlée* avec… Mario Langlois. L'ancien animateur de CKAC, et ex-débatteur de *110 %*, se défend bien d'avoir imité le concept du Mouton Noir à la société d'État. «Nous n'avons pas copié *110 %*. Notre style était bien différent. Nous avons bien fait et nous les avons même battus dans les sondages la première année», souligne Langlois. À ses débuts, le magazine de la SRC abordait plusieurs sports, se démarquant ainsi de la quotidienne de TQS qui misait presque exclusivement sur le hockey pour ses débats.

La formule de *110 %* n'allait toutefois pas tarder à influencer les décideurs de Radio-Canada. Petit à petit, l'émission animée par Mario Langlois a délaissé sa vocation première pour se tourner davantage vers le sacro-saint Canadien. Quand le magazine a été rebaptisé *La zone*, deux ans plus tard, la place du hockey y est devenue prépondérante. Ce changement de cap a profondément irrité Langlois. «*Au-dessus de la mêlée* aurait pu durer 20 ans. Au début, je croyais que le diffuseur ne visait pas uniquement à concurrencer les autres réseaux. Mais quand tu apprends, quelques années plus tard, que ce même diffuseur voulait se battre pour les plus grosses cotes d'écoute de fin de soirée, tu comprends pourquoi il a choisi de parler de hockey tous les jours.» De l'avis de Langlois, Radio-Canada s'est détournée de son mandat de télévision d'État en tombant dans le piège de la course à l'auditoire. «C'est sûr qu'on pouvait faire la même chose que les autres réseaux, mais quand tu gères l'argent des contribuables, c'est différent», observe le communicateur.

Quand *Au-dessus de la mêlée* a été retirée des ondes en 2007, la SRC a lancé *La zone*, avec à sa barre un certain Michel Villeneuve. Le Réseau des sports n'est pas demeuré en reste bien longtemps. En octobre 2008, Alain Crête a piloté la première édition de *L'antichambre*, un concept style talk-show qui allait relancer la guerre des cotes d'écoute de fin de soirée. Paul Rivard l'affirme avec assurance et beaucoup de fierté : les concurrents, aussi compétents soient-ils, se sont tous inspirés de la formule bien rodée de *110 %*. « *La zone* a offert une belle opposition, mais ça restait du *110 %* fait à Radio-Canada. RDS aura beau dire que leur décor est différent, ils font quand même du *110 %*, avec d'autres invités, dans un style convivial. Je le dis et le répète, les débats sportifs resteront longtemps associés à *110 %*. »

Évidemment, l'apparition de nouveaux joueurs sur les chaînes concurrentes a considérablement divisé la tarte. Les débatteurs compétents ont reçu des offres de la part des autres réseaux. Certains se sont même fait offrir des ponts d'or pour quitter *110 %*. « François Gagnon est parti pour RDS, Michel Villeneuve pour Radio-Canada, pour ne nommer que ceux-là. Peut-on les blâmer ? Quand tu peux améliorer ta position, c'est difficile à refuser. Gagnon se retrouve maintenant devant un auditoire de près d'un million de personnes, et Villeneuve est devenu chef d'antenne à la télévision d'État », commente l'ancien animateur.

Un auditoire qui s'émiette

L'arrivée des émissions concurrentes a inévitablement affaibli *110 %*. Avec le départ de nombreux débatteurs vedettes, une partie du public a déserté pour la SRC et RDS. En novembre 2008, les trois quotidiennes rivales attiraient, chacune, une moyenne de 120 000 fidèles. Les beaux jours de *110 %*, et de ses centaines de milliers de supporters, étaient définitivement révolus. « TQS avait perdu la plupart de ses grosses têtes d'affiche, ça explique la baisse de popularité. Avec François Gagnon et Michel Bergeron à RDS, *L'antichambre* est devenue un bulldozer », dit Rivard. La défection de ces gros joueurs a posé un nouveau défi à TQS. Le réseau a dû se débrouiller pour trouver des débatteurs compétents tous les soirs. Certains commentateurs, auparavant invités sporadiquement par la station, se sont ainsi retrouvés beaucoup plus souvent sur le plateau de *110 %*. C'est notamment le cas de Ti-Guy Émond. La majorité des débatteurs appréciaient le sympathique chanteur et grand amateur de courses de chevaux, mais ses propos faisaient rarement l'unanimité. Mario Langlois déplore d'ailleurs le ton de *freak show* qui se dégageait les soirs où des invités déraillaient en ondes. Langlois se souvient d'une émission où, comme débatteur, il détenait des informations exclusives concernant le combat de boxe entre Lucian Bute et Markus Bayer. Des informations qu'il n'a jamais pu livrer alors que le débat se déroulait, en raison de l'exubérance et de la place prise par les débatteurs. « Parfois, tu savais que tu ne pourrais pas avoir de discussion, déplore le commentateur. Ti-Guy, ce n'est pas que je ne l'aime pas, mais ce soir-là, il avait contribué à ce que l'émission vire en spectacle. Mon argument était bon, et il aurait pu trancher le débat, mais le contenu passait en deuxième. J'ai toujours eu un problème avec ce genre d'orientation prise par *110 %*. »

En bon vétéran de la télévision, Mario Langlois accepte toutefois la position adoptée par le Mouton Noir. Il comprend parfaitement que le réseau ait misé sur des débats criards et enflammés, au détriment de la pertinence des propos. « Personne ne le disait trop fort, mais, le but, c'était que ça pète de temps en temps. TQS courait après ça. Ça m'a souvent contrarié et, me connaissant, j'ai préféré arrêter d'y aller pour éviter de péter moi-même une crise en ondes. »

Parmi tous les nouveaux débatteurs qui ont foulé le sol du studio de *110 %* après le départ des nombreuses vedettes, Jean-Charles Lajoie est probablement celui qui a causé la plus forte impression. « C'était comme dans une équipe, tu devais accepter tous les nouveaux joueurs », confie Mario Langlois, qui a eu maille à partir avec Lajoie, dès leur premier face-à-face à *110 %*. Langlois a été piqué au vif lorsqu'il a été invectivé en direct par Lajoie. « Nous étions en ondes depuis seulement quatre minutes et il était déjà monté sur ses grands chevaux, dit Langlois. Il s'énervait parce que Halak gardait le filet pour la deuxième partie de la saison. Il m'a semblé farfelu, car il s'emportait pour rien. Il m'a dit : "Reste chez vous si tu ne veux pas en parler." Je me suis vraiment demandé pour qui il se prenait. Après ça, on dira que tout le monde se respectait dans les débats… »

Le départ des débatteurs les plus populaires a certainement nui à *110 %*. L'auditoire s'en est lourdement ressenti. Malgré la dégringolade des cotes d'écoute, Paul Rivard n'aurait jamais modifié le nom de la quotidienne qui a amorcé la mode des débats sportifs. S'il comprend que la nouvelle direction de V ait voulu faire table rase du passé de TQS en délaissant le titre *110 %* pour *L'attaque à 5*, il est attristé de voir une telle icône télévisuelle disparaître. « Il y a une certaine logique derrière ça, mais il me semble que le nom aurait dû survivre. J'aurais changé le concept et gardé le nom, mais pas l'inverse. Il faut le dire, *110 %* était peut-être la seule réussite de TQS, et elle n'existe plus aujourd'hui. »

Chapitre 2

Le seul et unique Michel Villeneuve

« Le meilleur, c'est moi »

Sans vouloir le flatter inutilement, il faut admettre que la palme du débatteur le plus connu et le plus coloré à avoir fréquenté le studio de *110 %* revient à Michel Villeneuve. Adulé par les uns, détesté viscéralement par les autres, son attraction principale résidait justement dans le fait qu'il ne laissait personne indifférent. Il est difficile d'imaginer le parcours qu'aurait emprunté la quotidienne sans la présence de ce vétéran communicateur. Le principal intéressé s'approprie d'ailleurs une grande partie, sinon l'entièreté, du succès de l'émission. « C'est simple, Daniel, *110 %* c'était moi », lance-t-il, sérieux comme un pape.

L'animateur n'hésite pas à s'accorder le mérite pour la plupart des coups fumants de *110 %*. Parmi les exploits qu'il s'attribue, et sur lesquels il adore pérorer, figure le fameux débat impliquant l'équipe de *La soirée du hockey* de Radio-Canada, alors que sévissait un lock-out à la société d'État en 2002. « C'est moi qui les ai invités, dit-il avec fierté, en parlant de Jean Pagé, Claude Quenneville et Michel Bergeron (ce que nie avec véhémence Éric Lavallée). J'animais ce soir-là (faux : Paul Rivard était l'animateur) et ça a été l'un des plus gros scores de l'histoire du show. » La tâche d'approcher les débatteurs incombait normalement à Éric Lavallée, mais Villeneuve n'en démord pas, il maintient être à l'origine de ce succès télévisuel.

À l'écouter, on découvre qu'il détenait un statut pour le moins particulier sur le plateau de *110 %*. Lavallée avait l'habitude de dialoguer constamment via les oreillettes avec l'animateur de la quotidienne, Paul Rivard. Au dire de Michel Villeneuve, ces conversations n'existaient pas lorsque lui-même pilotait l'émission. « Avec Paul, c'est Éric qui commandait, et s'il n'avait pas été dans ses oreilles à chaque seconde, je ne sais pas si l'émission aurait fonctionné, confie l'ex-vedette de TQS. Mais, avec moi c'était différent, même quand j'ai animé. Je décidais de tout, et Éric me laissait aller. »

À force de l'entendre se louanger, on finit inévitablement par se questionner. Souffre-t-il d'un surplus de confiance ou est-il simplement imbu de lui-même ? Sa façon de décrire son travail à *110 %* offre une réponse admirable. Quand on lui demande qui était le meilleur débatteur, sa réponse ne surprend personne. « Moi », lance-t-il d'un ton pompeux. L'assurance qu'il dégage en s'autoproclamant roi de la confrontation verbale est surprenante. Pourtant, en étudiant son passé, on découvre un travailleur acharné, parti de très loin pour parvenir à s'imposer dans les médias électroniques. Issu d'une famille de classe moyenne de neuf enfants, sa jeunesse ne fut pas de tout repos. Il se rappelle avoir trimé dur, dès l'âge de huit ans, pour amasser des sous afin de payer son équipement de hockey. « J'ai travaillé très jeune sur la ferme à couper des choux et à récolter des carottes, raconte-t-il. En après-midi, je marchais trois miles et demi avec ma grosse poche de sport pour aller jouer au hockey. Donc, travailler, je connais ça. C'est comme ça que j'ai appris que, pour arriver en haut, tu dois être plus fort que les autres. »

Vaillant et déterminé, il a mangé beaucoup de pain noir avant d'obtenir un statut de vedette à CKAC. Il est à peine âgé de 20 ans lorsqu'il hérite de son premier micro radiophonique à Québec. Rapidement, il se retrouve dans la cour des grands. « J'ai commencé ma carrière en 1975 avec des pros de la radio qui avaient des voix extraordinaires, dit-il. Et c'est à force de travail et d'acharnement que j'ai tranquillement gravi les échelons. » Cette attitude de combattant, doublée d'une bonne dose de cynisme et d'arrogance, lui permettra de prendre part aux premiers débats de *110 %* au printemps 1999.

Même s'il est réticent à l'admettre, Michel Villeneuve révèle néanmoins qu'il ne croyait pas du tout à ce concept de querelles verbales en direct. « Luc Doyon était venu me voir pour me présenter le projet, mais je ne pensais pas que ça marcherait. Je ne pouvais pas imaginer des débats au quotidien. Rendons crédit à Luc, parce que le véritable parrain de l'émission, c'est lui. » L'avenir allait donner raison au patron du Mouton Noir.

Grégoire vs Villeneuve : le feu aux poudres

Si le fougueux commentateur n'aime pas qu'on lui remette sous le nez son erreur, alors que *110 %* s'est imposé dès les premiers débats, il bombe le torse en se remémorant la célèbre confrontation entre Gabriel Grégoire et lui, en décembre 2000. Un débat aussi corsé qu'électrisant qui a failli mal tourner. « C'est le soir où Gaby et moi nous nous sommes pognés que le show a vraiment décollé », déclare Villeneuve, accaparant encore une fois le crédit derrière la formule. Dans ce cas particulier, il n'a pas tort, puisque la violente dispute entre les deux hommes a vraiment produit un délice télévisuel. Ce soir-là, Éric Lavallée l'avait convié, en compagnie de Réjean Tremblay et de Gabriel Grégoire, pour discuter de la forme physique des entraîneurs et des joueurs de football. D'après Villeneuve, Réjean Tremblay a décliné l'invitation, peut-être une conséquence des propos incendiaires que Grégoire avait déjà tenus à l'endroit du chroniqueur de *La Presse*.

L'agitateur en chef de *110 %* s'est donc retrouvé seul avec l'ex-joueur des Alouettes dans ce qui est devenu une pièce d'anthologie de la quotidienne. Au cours d'une série d'échanges extrêmement musclés, Villeneuve a déploré la piètre forme physique de certains athlètes, ce qui lui a valu un chapelet d'insultes proférées par l'ancien footballeur. « Grégoire lui a demandé s'il s'était regardé et lui a dit qu'il était au moins aussi gros que ceux qu'il critiquait. J'avais peur qu'ils en viennent aux coups. Mais, en même temps, la bonne télé, c'est ça : de l'émotion pure », confiait à ce sujet Paul Rivard dans une entrevue au *Soleil* parue quelques mois après le fameux débat. Même Villeneuve, qui a souvent affirmé ne craindre personne, semblait intimidé. « Je ne l'avais jamais vu avant l'émission, dit-il. Quand je l'ai aperçu quelque temps avant d'entrer en ondes, il avait l'air *pompé raide*. Il ressemblait à un taureau ou à un étalon lâché *lousse*, et, moi, je me retrouvais seul, face à face avec lui. »

Ne nous méprenons pas : Villeneuve était décontenancé, mais il a rapidement retrouvé ses repères malgré l'attitude belliqueuse de son opposant. L'ex-footballeur a tenté de l'intimider en citant dès le début du débat de grandes phrases tirées du roman *Le pavillon des cancéreux*, de l'auteur Alexandre Soljenitsyne. Grégoire a toutefois été pris à son propre jeu, se méprenant sur le nom exact de l'écrivain. « Il a essayé de me faire passer pour un inculte, mais il s'est trompé, se remémore fièrement Michel Villeneuve. Je savais qui était Soljenitsyne et je lui ai dit : "N'essaie pas de me faire passer pour un cave, c'est un prix Nobel de littérature." Je lui ai ensuite brassé le cul pendant 20 minutes. À la fin, quand on s'est levé, je me suis dit, ça y est, il va vouloir me sacrer une claque sur la gueule. Ça ne s'est pas produit. » Le bouillonnant débatteur a néanmoins quitté le plateau complètement épuisé par ces discussions houleuses. « C'était du jamais vu, confie-t-il. Les gens pensent que c'est un jeu, mais j'étais vidé en sortant. C'est extrêmement exigeant et émotif comme exercice. »

Pour Michel Villeneuve, les débats à *110 %* rimaient avec acharnement. Le commentateur ne se présentait jamais en ondes sans une bonne préparation. Il avoue candidement avoir longuement analysé les débatteurs de l'émission qu'il animait durant les vacances du pilote régulier, Paul Rivard. Tel un boxeur qui étudie son adversaire avant de porter le coup fatal, Villeneuve prenait bonne note des faiblesses de ses collègues pour les exploiter lorsqu'il débattait à son tour. « Quand j'avançais quelque chose, j'avais toujours deux ou trois *liners* dans ma besace, prêts à être lancés, dit-il. J'adorais connaître le *body language* des gars. Je savais ce qui les rendait sensibles, à quoi ils réagissaient, et quand ils allaient exploser. Grâce à mon sens de l'observation, j'arrivais à prévoir leurs réactions. »

Toutes ces qualités sur lesquelles il aime s'étendre confèrent à Villeneuve un statut particulier. Sa présence sur le plateau amenait inévitablement des débats animés et riches en émotions. Le communicateur vedette en est conscient et il n'a aucune gêne à vanter ses capacités. « Je l'ai dit, j'étais le meilleur. J'étais préparé et j'avais compris ce qu'était l'émission. En plus, j'étais un sanguin qui pouvait se contrôler. Et je maîtrisais l'art de la répartie, assez pour déstabiliser mes adversaires. »

L'emploi du terme « adversaire » en dit long sur la vision de *110 %* qu'avait le débatteur. Il voulait gagner à tout prix. L'humilité dans la victoire, très peu pour lui. S'il savait admettre ses moins bonnes interventions, il demeurait toujours déterminé à revenir plus fort le lendemain pour clouer le bec à ses rivaux. « Je ne craignais pas de dire que j'avais mal paru un soir, mais j'avais seulement perdu une bataille, pas la guerre », illustre-t-il. Son air fendant lui a évidemment valu bien des critiques. Plusieurs téléspectateurs de même que de nombreux débatteurs n'ont jamais pu le sentir.

Ceux qui le connaissent à l'extérieur du travail savent toutefois que Michel Villeneuve est un véritable épicurien. Le communicateur a adoré son boulot à TQS, où il a passé près de 20 ans. Il a pris un malin plaisir à taquiner ceux qu'il appelle ses « opposants ». « J'ai une façon de dire qui ne fait pas l'affaire de tout le monde, c'est vrai. Mais je fais ce métier parce que j'ai du *fun*. J'aimais ça agacer et *picosser* les gars autour de la table. Parfois, j'étais baveux. Mais j'avais du plaisir avant tout. »

Animera, animera pas ?

Michel Villeneuve a fait la pluie et le beau temps durant plus de quatre ans autour de la table de *110 %* d'abord animée par Paul Rivard. Son arrogance et ses airs hautains n'ont certainement pas nui à la popularité grandissante de la quotidienne. L'ardent débatteur s'est rapidement hissé au rang de grande gueule par excellence de la station, un titre qu'il a défendu soir après soir. Tout laissait croire que ce rôle plaisait à Villeneuve, mais ce dernier caressait d'autres projets. Ambitieux, il attendait impatiemment qu'on lui confie l'animation de l'émission. Les congés estivaux de Rivard durant lesquels il se retrouvait dans le siège du pilote lui offraient une satisfaction ponctuelle, mais il voulait plus. « Je me suis toujours attendu à avoir la table de ce show-là », confie-t-il.

Le départ de Rivard a finalement mis fin à une rivalité pas toujours saine entre les deux vétérans communicateurs. Villeneuve ne se fait d'ailleurs pas prier pour affirmer que le premier animateur de *110 %* a fini par être écarté du projet par la direction. « L'impression que j'ai, c'est qu'on l'a tassé. Lui, il voulait se servir du tremplin de *110 %* pour redevenir une vedette. Il avait toujours rêvé d'être une star et, dans sa tête, il voulait animer un show du matin pour se prouver qu'il était capable. » Des propos niés avec véhémence par Paul Rivard, qui soutient toujours avoir accepté un nouveau défi avec *Caféine*

Dire que les deux hommes ne s'aimaient pas d'amour tendre relève de l'euphémisme. La compétition constante qu'ils se sont livrée durant leur passage à TQS passait peut-être inaperçue aux yeux du public, mais leur inimitié était bien connue à l'interne. À preuve, Paul Rivard le traite sans vergogne de clown dans ces pages. Quant à Villeneuve, il n'éprouve aucun embarras à qualifier piètrement le travail de son ex-collègue. « C'était un *punching bag*, il n'avait aucun impact sur les gars. C'est ça que la direction voulait, quelqu'un qui présente bien les sujets, mais qui n'est pas capable de se mesurer avec les débatteurs. On pouvait le tasser sans qu'il interfère. »

Michel Villeneuve s'imaginait sans peine dans le siège laissé vacant par Paul Rivard. En cette après-midi printanière de 2003, alors qu'il monte les escaliers de TQS menant au bureau de Luc Doyon, le débatteur a peine à contenir sa joie. L'euphorie est toutefois de courte durée. Au lieu d'une promotion, c'est une gifle qu'il recevra. C'est du moins ainsi que Villeneuve l'a d'abord perçu. « Luc Doyon m'a dit : "Paul s'en va, mais ce n'est pas toi qui va animer", se souvient-il. Là, j'ai mangé un ostie de coup dans l'orgueil et j'ai avalé de travers. » Connaissant la soif d'avancement de Villeneuve, Doyon le rassure rapidement. « Il me connaissait et j'avais le plus grand respect pour lui. J'estimais qu'il devait me demander si je voulais animer. Mais il m'a dit : "Tu ne seras pas en avant de la table, parce que c'est sur les côtés que tu es le plus utile. Tu ne peux pas devenir animateur, car personne ne peut prendre ta place comme débatteur." Disons que ça a aidé à faire passer la pilule. » Sans dévoiler son salaire de l'époque, Michel Villeneuve soutient avoir, par la suite, empoché la plus grosse paie parmi les réguliers du show. « Il m'a rémunéré comme si j'étais le premier et le meilleur », dit-il.

Rassuré sur sa place de choix au sein de la quotidienne, le débatteur vedette affirme avoir joué un rôle de premier plan dans le choix du successeur de Paul Rivard. Au moment où ce dernier a hérité de la case matinale, l'animatrice Chantal Machabée de RDS était la favorite pour le remplacer. Villeneuve a toutefois imposé un veto à l'arrivée de la blonde animatrice. « Pour ce qu'on faisait, il fallait un gars, raconte-t-il. Mon candidat était Jean Pagé. Doyon pensait qu'il ne quitterait jamais Radio-Canada, mais je l'ai appelé et c'est moi qui l'ai amené à TQS (autre revendication niée par Lavallée). » Le vétéran animateur à CKAC, Mario Langlois, figurait aussi dans les plans de la direction pour prendre les rênes de *110 %*. Sauf qu'il ne plaisait pas à Michel Villeneuve. Ce dernier a une fois de plus convaincu son supérieur de ne pas lui confier le poste. « Langlois, c'est un ostie de... ! qui parle pendant 30 minutes pour ne rien dire, lance-t-il sans détour. Il aurait pris trop de place dans l'animation parce qu'il veut toujours avoir toute l'attention sur lui. Luc Doyon l'a rencontré, mais il a pris en considération mon opinion. » Ceux qui seraient tentés de penser que Villeneuve privilégiait la candidature de Jean Pagé pour les compétences de ce dernier font grandement erreur. L'ex-débatteur du Mouton Noir est cinglant, voire carrément méchant, à son égard. « Jean était l'animateur parfait, parce qu'il ne connaît rien, mais qu'il sourit quand même. Il se fait taper dessus et il trouve ça drôle. Il a l'air d'une tarte et il rit. Mais il n'a aucune autorité. » Des propos qui ne surprennent aucunement Paul Rivard, qui estime que le mépris de Villeneuve envers plusieurs de ses collègues l'a sans doute servi sur le plan professionnel. « C'est ce qui lui a permis d'avoir la carrière qu'il a », dit-il laconiquement.

Gare à ceux qui risquent un propos sarcastique à l'endroit de Michel Villeneuve ou de son œuvre, même à la blague. Jean

Pagé ne l'a sans doute jamais su, mais une déclaration anodine, lâchée alors qu'il était à la barre de *110 %*, a jeté davantage d'huile sur le feu entre les deux communicateurs. Réjean Tremblay se trouvait sur le plateau de TQS, après quelques mois passés comme commentateur à *La zone*, animée par Villeneuve. Pagé a alors taquiné le chroniqueur de *La Presse*, laissant entendre qu'il revenait d'un séjour dans les ligues mineures. « Il faisait directement allusion à ma présence à *La zone* et ça m'a fait de la peine, admet Villeneuve. Je l'ai pris personnel, parce que c'était mon show à Radio-Canada. Surtout, c'était grâce à mes démarches si Jean Pagé se retrouvait à TQS. » On décèle une pointe d'émotion dans le ton de sa voix lorsqu'il raconte cette anecdote. L'impétueux communicateur retrouve toutefois rapidement ses moyens. Il ajoute au sujet de Pagé : « Ça m'a frustré parce qu'il nous traitait de haut. Quand je l'ai entendu, je me suis dit : "Toé, mon *tabarnak*, je peux te mettre dans ma poche d'en arrière n'importe quand, donc fais-moi pas chier." »

Un véritable bouledogue

Suivant cette logique, on n'est nullement surpris d'apprendre que l'ancienne grande gueule de TQS porte très peu de ses ex-comparses de *110 %* dans son cœur. Les seuls qui ont droit à toutes ses considérations sont le journaliste François Gagnon et l'ex-hockeyeur Enrico Ciccone. Ce dernier l'a d'ailleurs suivi à *La zone* à Radio-Canada. « Après François, c'est mon meilleur. Il est sanguin, émotif, il a du cœur et il ne redoute pas les opinions tranchantes, même si elles ont soulevé énormément de controverse. Il a été le plus dur des gars avec qui j'ai débattu. Je le trouvais même intimidant. » Quant à François Gagnon, son sens du spectacle, et le fait qu'il ne se laissait pas impressionner par Villeneuve, lui valent la reconnaissance de ce dernier. « Après moi, c'était le plus performant, lâche-t-il. Je lui reproche sa trop grande sensibilité, mais il était stimulé et extraordinaire en ondes. »

Ces deux anciens de TQS peuvent s'estimer chanceux de se retrouver dans les bonnes grâces de Michel Villeneuve. Quand on lui demande d'analyser sommairement le travail de la quinzaine de débatteurs qu'il a côtoyés au fil des années, il en profite pour écorcher la majorité au passage. Non content d'avoir livré le fond de sa pensée sur Mario Langlois à titre d'animateur, il en rajoute sur ses capacités à se livrer à des joutes oratoires. « Il n'a jamais rien eu à dire, c'était toujours du vent », lance-t-il. Sans surprise, la vision de Langlois diffère grandement. L'ancien animateur d'*Au-dessus de la mêlée* déplore plutôt le manque de sérieux de nombreux débatteurs qui l'empêchait de rapporter les informations privilégiées qu'il détenait à l'occasion.

On peut aisément affirmer que les deux débatteurs se détestent. Une déclaration publique de Langlois, il y a quelques années, n'a rien fait pour les rapprocher. Rancunier, Villeneuve n'a rien oublié. « Lorsqu'il a été tassé d'*Au-dessus de la mêlée* pour être envoyé le matin, ce *tabarnak* est allé dire dans le journal qu'il aurait pu retourner aux *Amateurs de sports*, s'il avait voulu. » À la barre de cette populaire émission de CKAC depuis le départ de Claude Mailhot en 2004, Michel Villeneuve n'a tout simplement pas digéré la remarque. « Je travaillais comme un malade et je ramenais 70 % des revenus publicitaires à CKAC, rage-t-il. J'ai appelé mon amie avocate pour qu'elle règle la situation avec la direction de Corus. Je voulais une rétractation et je voulais que mes patrons disent qu'ils n'avaient jamais offert à Langlois de revenir. »

Aucun autre débatteur régulier ne s'est autant attiré les foudres de Michel Villeneuve. Pas même Pierre Lecours, qu'il qualifie néanmoins de « plein de… ». Le chroniqueur du *Journal de Montréal*, invité à l'occasion pour commenter la course automobile, avait toutefois la fâcheuse tendance de s'en prendre personnellement à ses homologues. « Quand il parlait, il ne respectait personne ; il venait sur le plateau expressément pour démolir les gens », rapporte Villeneuve, qui appréciait en revanche son collègue au *Journal*, Marc de Foy. « Un gars avec du caractère, extrêmement bien documenté. Une vraie bombe à retardement », dit-il.

Contrairement à Mario Langlois, Michel Villeneuve appréciait les débats plus légers avec les Michel Girouard et Serge

Amyot de ce monde. Au sujet du premier, il affirme que sa présence donnait un côté glamour à l'émission. Quant au second, il le qualifie « d'attachant », ajoutant que sa présence conférait à la quotidienne un côté rigolo, voire burlesque. Son opinion des autres stars de *110 %* — Michel Bergeron et Réjean Tremblay, notamment — confirme à nouveau qu'il se considérait lui-même comme l'as des confrontations verbales. Il parle de Bergeron comme étant sa « vedette américaine », qui aimait rire quand il se trouvait à court d'arguments. « C'était la grosse personnalité du show, dit-il. Quand il n'avait plus rien à dire, il racontait des farces. Il ne se préparait pas, mais il utilisait son expérience et ses habilités de communicateur. » Quant à Réjean Tremblay, Villeneuve croit qu'il excellait davantage dans les débats à un contre un. « Autour d'une table, il était pourri, lance-t-il. Il sortait parfois des arguments qui venaient du champ centre, ça ralentissait la conversation et ça coupait les ailes de tout le monde. » Avec une telle perception de ses confrères, on est quasiment surpris de l'entendre louanger le comédien Éric Hoziel, un des rares débatteurs invités à titre d'amateur. « Il était savant, il connaissait tout, même le basket », note Michel Villeneuve.

Au cours de sa carrière, celui qu'on a qualifié à maintes reprises de polémiste n'a jamais fait dans la dentelle. « Si je voulais plaire à tout le monde, je m'appellerais Michel Louvain », dit-il à ce propos. En plus de se mettre à dos bon nombre de collègues, des athlètes, parmi les plus populaires du Québec, comptent parmi ses plus féroces détracteurs. Pire, certains refusent systématiquement de lui adresser la parole. Il s'est sans doute brouillé pour la vie avec Jacques Villeneuve et José Théodore, deux véritables icônes sportives de la province. Les origines de sa chicane avec l'ex-champion du monde de F1 restent nébuleuses. Un fait demeure, le coureur automobile a toujours refusé de visiter le plateau de *110 %* lorsque Michel Villeneuve s'y trouvait. Des propos litigieux, tenus lors d'entrevues radiophoniques à CKAC, pourraient être à l'origine de la dispute entre les deux hommes au même nom de famille. Autre raison évoquée, l'ex-femme du pilote, Johanna Martinez, aurait interdit à l'animateur d'assister à une conférence de presse donnée par son conjoint, il y a quelques années. « Je *haïs* la F1, dit candidement Villeneuve. J'ai toujours détesté Jacques, une tête en l'air qui te regarde de haut comme si tu étais de la merde. J'étais là avant lui et je suis toujours là aujourd'hui. C'est probablement le seul athlète qui ne me revient pas. »

Il faut pourtant ajouter le nom de José Théodore à la liste de sportifs qui ne convieront certainement pas Michel Villeneuve à leurs noces. L'ancien gardien de but du Tricolore n'adresse plus la parole aux reporters montréalais, sauf à François Gagnon, depuis son tumultueux départ de la métropole. Parmi les journalistes qu'il tient le moins en estime figure néanmoins le nom de l'ex-débatteur du Mouton Noir.

Pour mieux comprendre cette haine, il faut remonter à l'hiver 2006, alors que le jeune gardien éprouvait toutes sortes d'ennuis. Au terme d'une première moitié de saison cauchemardesque, Théodore, impliqué dans quelques juteux scandales familiaux, se blesse à l'os du talon en voulant saupoudrer du sel sur les escaliers glacés de sa demeure. Dès lors, la machine à rumeurs s'emballe. Les ragots les plus persistants remettent en question la convalescence du gardien. Les lignes ouvertes sont congestionnées d'appels citant des sources anonymes qui ont aperçu le portier québécois skier au Vermont avec une comédienne connue, alors qu'il devait se trouver chez lui, au repos. Le bruit court même que sa fracture cacherait plutôt une cure de désintoxication imposée par le Canadien.

Toute cette incertitude entourant le réel statut du joueur de l'heure au sein du CH interpelle Michel Villeneuve. Une idée germe tranquillement dans son esprit. Le lundi matin suivant les folles rumeurs du week-end, il envoie un caméraman de TQS se poster, dans un camion non identifié, devant la résidence de Théodore. « Je voulais être fixé une fois pour toutes, raconte-t-il. Il fallait qu'on le voie en béquilles pour que le monde arrête de déblatérer sur son sort. Le caméraman l'a finalement vu sortir de sa maison, avec son frère. On a maquillé la plaque d'immatriculation de la BMW dans l'entrée et on a brouillé l'adresse de la demeure de Théo. Quand je suis arrivé en ondes avec Jean-

Luc Mongrain, j'ai remis les pendules à l'heure. » Villeneuve considère qu'il s'agit d'un des meilleurs flashs de sa carrière. Une autre réussite à son tableau de chasse. « Tout le monde a repris ça. Au *Journal de Montréal*, ils n'en revenaient pas d'avoir manqué ça. Je peux te dire qu'ils ont tenu un meeting d'urgence ce soir-là », se remémore-t-il avec fierté.

Les images du cerbère montréalais se déplaçant difficilement sur ses béquilles ont stoppé la machine à rumeurs, mais, en retour, une partie de la population a crié à l'intrusion dans la vie privée. En agissant de la sorte, Villeneuve avait coupé définitivement les ponts avec la vedette du Canadien. Quelques semaines plus tard, José Théodore faisait à nouveau la manchette, cette fois parce qu'il mettait le cap vers Denver où il venait d'être échangé pour l'Avalanche du Colorado, en retour de David Aebischer.

Si la même situation se présentait, Michel Villeneuve adopterait une conduite identique. « Je referais la même chose, parce que je considère que ça a permis de mettre fin à la rumeur assassine », croit-il. Quant à ceux qui l'accusent d'avoir bafoué la vie privée du gardien, l'ex-débatteur se montre catégorique. « Quand les sportifs ouvrent leurs portes aux caméras pour se vanter avec leurs grosses maisons et leurs millions, est-ce qu'on parle d'intrusion ? » argue-t-il.

Michel Villeneuve a emprunté un chemin ponctué d'embûches qu'il s'est bien souvent infligées lui-même avec son attitude de belligérant renversant tout sur son passage. Loin de lui nuire, cette philosophie lui a même ouvert les portes de la société d'État. La grande gueule en chef de TQS est parvenue à s'imposer à Radio-Canada. Un véritable tour de force pour celui qui avait toujours été associé à des stations comme CKAC ou TQS. Villeneuve aura piloté *La zone* durant trois ans. Peu enclin aux envolées sentimentales, il confie néanmoins avoir vécu une douloureuse séparation en quittant *110 %*. « Je pleurais comme un bébé », dit celui qui se défend bien d'avoir imité le concept du Mouton Noir, même si tous les observateurs ont remarqué l'analogie évidente entre les deux quotidiennes. « Je n'ai pas copié, car je l'ai dit, *110 %*, c'était moi. Notre ton est différent.

J'ai pu prendre le contrôle, ce que je ne pouvais pas faire à TQS. »

N'empêche, en quittant le navire de *110 %*, Michel Villeneuve savait qu'il se dissociait d'une émission culte. Lorsqu'il se trouvait à Pékin, pour animer *La zone olympique*, des passants l'ont apostrophé en lui disant : « Hey, t'es pas à TQS, toi ? » Difficile de ne pas se convaincre de la popularité d'un show de télévision quand on te reconnaît à plus de 10 000 kilomètres de chez toi. « Tout le monde nous écoutait, du plombier au premier ministre. Et ceux qui nous regardaient de haut peuvent aller se *crosser* », lance-t-il, dans son habituel langage coloré. S'il soutient que ses trois années à Radio-Canada constituent sa plus grande réalisation en carrière, les huit saisons autour de la table de *110 %* l'auront hissé au rang de star du débat, et ce, au-delà de nos frontières.

Chapitre 3

Le mentor Éric Lavallée

L'âme de *110 %*

Michel Villeneuve a beau s'attribuer tout le mérite derrière le succès phénoménal de *110 %*, c'est plutôt un homme à peu près inconnu du grand public qui a donné à la quotidienne ses lettres de noblesse. Tous les protagonistes qui ont gravité autour de l'émission identifient en effet Éric Lavallée comme le véritable ancrage de *110 %*. Durant dix ans, Lavallée a tout fait pour le show, occupant successivement les fonctions de journaliste, chef de pupitre, responsable des affectations et producteur délégué. Tous ceux qui l'ont côtoyé connaissent les efforts incroyables qu'il a déployés pour *110 %*. L'émission avait beau être en ondes à 23 h, pour lui, le travail commençait au petit matin. Les téléspectateurs qui se régalaient des empoignades de fin de soirée imaginent mal les efforts déployés par Lavallée pour faire lever le show. « Dès mon réveil, je décidais du sujet du jour et je commençais à appeler les collaborateurs », raconte-t-il.

Éric Lavallée y a consacré toutes ses énergies, et tant les collaborateurs que la direction du Mouton Noir ont tenu à lui rendre hommage. « Il a fait une job extraordinaire, dit René Guimond, ancien président de TQS. Il était dévoué au show. Ce n'est pas vrai que tout était improvisé. Éric s'assurait de trouver le bon angle et de bien choisir les débatteurs. » Durant l'avant-midi, assis sur son divan à la maison — il n'y possédait pas de bureau —, il communiquait avec de nombreux invités pour s'enquérir de leur opinion sur tel ou tel sujet. Il devait aussi tenir compte de la chimie entre les différents panélistes. Lavallée travaillait de concert avec Paul Rivard. Tous deux discutaient fréquemment avant de se rencontrer à TQS. Rivard savait plus que quiconque que Lavallée mettait tout son cœur dans le projet. « Un jour, Paul est arrivé avec une enveloppe et il m'a dit : "Tu ouvriras ça le soir de Noël !" C'était 900 $ en bon d'achats chez Bureau en Gros pour que j'aille m'acheter un pupitre, une chaise et un casque d'écoute. Ça m'avait réellement touché. »

Sur papier, à titre d'employé syndiqué de TQS, Éric Lavallée occupait les fonctions de chef de pupitre de *110 %*. « Il n'y avait rien de plus haut dans la convention collective, dit-il. Mais j'avais aussi un contrat en plus pour *110 %*. » Dans les faits, il était la bougie d'allumage de l'émission. Ses bons coups se comptent par dizaines. L'invitation de Gabriel Grégoire pour le premier débat officiel du show, c'est lui. Le personnel de *La soirée du hockey* — Claude Quenneville, René Pothier, Michel Bergeron et Jean Pagé — autour de la table de *110 %*, durant le lock-out à Radio-Canada, c'est aussi son idée. « Humblement, l'âme de l'émission, c'est moi, confie-t-il. C'était mon bébé. Je l'ai bâtie comme un membre de ma famille. Les gens qui sont honnêtes savent que je prenais tout sur mes épaules. » Éric Lavallée tient à ce qu'on lui rende crédit pour l'émission. « Je n'ai jamais hésité à aller au front pour *110 %* », lance-t-il. Si les gens connaissent peu son visage, c'est qu'il n'a jamais participé aux débats. « Je vous aurais tous battus, dit-il, avec un brin d'arrogance. Beaucoup de répliques de Paul ou de Jean venaient de moi. Quand vous entendiez Jean dire : "On me glisse une information à l'oreille", c'étaient mes propos. »

Les premières diffusions de *110 %* à l'automne 1998, comme déjà dit, ne contenaient pas de débats. Éric Lavallée se rappelle que Rivard avait ouvert la toute première édition de *110 %* vêtu d'un *tuxedo*, de *loafers* bruns et de bas blancs. Le concept était on ne peut plus clair : TQS cherchait à attirer un public qui ne s'intéressait habituellement pas au sport. « À la troisième émission, Michèle Richard était l'invitée, et son chien se cachait sous mon bureau, dit Lavallée. C'était un magazine très *smooth*. Et même si Paul a gagné un MétroStar cette année-là, le show s'apprêtait à être *flushé*.»

À deux doigts d'être évincé des ondes

Les cotes d'écoute n'étaient pas au rendez-vous et la direction de TQS, Luc Doyon en tête, songeait sérieusement à reléguer le concept aux oubliettes. Il faut mentionner que *110 %* succédait à *Sport Plus Extra*, le complément du bulletin sportif de TQS qu'avait piloté pendant plusieurs années Yvan Martineau. Cette émission, durant laquelle des vedettes de tous azimuts livraient leur vision du sport, avait connu un vif succès. Au fil des saisons, Martineau a interviewé des personnalités comme Céline Dion, Mario Dumont et Mark Messier, pour ne nommer que ceux-là. «C'était le *talk of the town*, *Écho Vedette* en parlait chaque semaine», se rappelle Yvan Martineau. Celui-ci aurait bien aimé qu'on lui confie les rênes de la première mouture de *110 %*. Il s'attendait d'ailleurs à recevoir une offre à ce sujet de la direction. «J'ai été déçu de ne pas obtenir l'animation, dit-il. On m'a demandé de passer un *screen test* pour l'émission. À ce moment je venais de compléter plus de 1 000 éditions de *Sport Plus* et j'avais été 3 fois finaliste aux MétroStars.» Pas de doute, on sent l'amertume dans les propos de celui qui est aujourd'hui journaliste chez Quebecor, à l'agence QMI.

En lançant *110 %*, l'administration du Mouton Noir souhaitait passer à autre chose. Les patrons avaient une idée bien fixe en tête et, puisqu'ils cherchaient à changer l'image de la station, ils se sont tournés vers Paul Rivard. Alors reporter pour la quotidienne, Éric Lavallée avait pour mission de ramener des contenus insolites pour alimenter l'émission de fin de soirée. Par exemple, le jour de la nomination de Pierre Boivin à la présidence du Canadien, il s'était rendu chez Bauer, que Boivin quittait pour accepter son poste chez le CH, afin de sonder les employés de l'entreprise. «Les gens de Bauer avaient barré les portes, ils ne voulaient pas qu'on filme et je me rappelle que Pierre Boivin avait dit par la suite : *"Sorry for the closed doors."*»

Malgré tous les efforts de Lavallée et de l'équipe de *110 %*, l'émission se dirigeait vers l'échec jusqu'à ce jour de printemps où a germé l'idée d'incorporer des débats à la formule. C'était en 1999. Difficile de confirmer avec certitude qui de Michel Villeneuve, Paul Rivard, Éric Lavallée ou, même, Réjean Tremblay, a pensé le premier à ce concept.

Pour sa part, Lavallée soutient avoir rencontré deux employés-cadres de la station, Yves Bombardier et Pierre Taschereau, pour leur proposer d'inclure un débat chaque jour. La direction a accepté et des budgets ont été libérés pour huit invités par semaine. « Ça ne faisait même pas deux débatteurs par soir, dit Lavallée. Parfois, il n'y avait qu'une seule personne avec l'animateur, comme Alain Chantelois, qui livrait les choix du Baron. » Le patron des programmes, Luc Doyon, a rapidement décelé le potentiel des débats. Il a mis son grain de sel afin que *110 %* abandonne complètement la formule magazine pour se tourner exclusivement vers les débats. « Je trouvais ça bon et innovateur, dit-il. Je voulais en donner tous les jours au public. »

L'auditoire a réagi positivement à ces changements, mais les cotes d'écoute n'ont pas tout de suite augmenté substantiellement. C'était avant le 4 décembre 2000, soir du mythique débat entre Gabriel Grégoire et Michel Villeneuve. Cette pièce d'anthologie allait mettre la table pour le véritable *110 %* qui a attiré plus de 400 000 téléspectateurs dans ses meilleures soirées. Cette fameuse confrontation entre Grégoire et Villeneuve s'est planifiée pratiquement une semaine à l'avance, à la fin novembre. La question de la forme physique des entraîneurs de football était revenue dans les médias. Lavallée a alors eu l'idée de demander les commentaires de Gabriel Grégoire, un ancien joueur des Alouettes qui n'avait jamais eu la langue dans sa poche. Yvan Martineau l'a rejoint et a réalisé une entrevue durant laquelle Grégoire a démoli le travail des journalistes qu'il a accusés de tous les maux. « Yvan m'a dit : "Tu vas voir Éric, c'est de la dynamite, ce qu'il dit." » Réunis à *110 %* en fin de soirée, Réjean Tremblay et Michel Villeneuve ont vivement réagi aux propos de Grégoire.

Sentant le coup fumant, Lavallée a invité Grégoire à venir débattre de la question en studio le lundi suivant. Durant toute la fin de semaine, des publicités à TQS ont annoncé à répétition le débat explosif à venir entre les trois protagonistes. Réjean Tremblay ne s'est toutefois pas présenté le soir venu. Des mauvaises langues prétendent qu'il aurait eu la trouille devant l'imposante stature de Grégoire. Seul Villeneuve a répondu à l'appel. « Michel est allé se présenter à Gabriel avant le show et Gaby lui a lancé : "Je te serre pas la main, *toé, câlice*", se souvient Lavallée. C'est parti de même, il y avait de la tension en ondes, c'était épouvantable. Ils se sont engueulés face à face, et on a décroché un auditoire de 200 000. » En furie, Grégoire a quitté le plateau sans tambour ni trompette dix secondes avant la fin du show. « Il a enlevé son micro alors que les caméras roulaient toujours, il s'est levé et il est parti », raconte Lavallée.

La direction de TQS a rapidement réalisé qu'elle devait miser sur des échanges musclés de ce genre pour accroître ses parts de marché en fin de soirée. Les patrons ne pouvaient toutefois pas inviter Gabriel Grégoire tous les soirs, car ils craignaient que le show ne dérape la plupart du temps. Quand on lui demande de commenter le fameux débat entre Grégoire et Villeneuve, Luc Doyon révèle d'ailleurs qu'il ne raffolait pas de telles empoignades. « C'était correct, mais ce n'est pas le genre de débats qu'on souhaitait. On voulait que ça demeure de l'échange d'opinions et d'idées. Ça ne devait pas dépasser les bornes. »

Pour la direction de la station, la clé consistait plutôt à diversifier les débatteurs afin de créer d'autres rivalités, plus saines. Les patrons du Mouton Noir ont consenti à allonger les budgets pour convier quotidiennement trois participants à *110 %*. Mais Éric Lavallée voyait plus grand. Au bout de quelques semaines, sans avertir ses supérieurs, il a décidé de faire venir quatre débatteurs en studio. Seul hic, il manquait de fonds pour payer le cachet du quatrième invité. « Un jour, la secrétaire m'a dit : "Tu as seulement un budget pour trois personnes. Mais j'en ai inscrit une quatrième quand même", dit Lavallée. C'est comme ça que je fonctionnais. Je n'avais pas de retour de mes patrons, mais, s'ils ne disaient rien, j'osais et je présumais qu'ils étaient satisfaits. »

L'Affaire Perron : la plus grande erreur de *110 %*

Avec quatre grandes gueules réunies autour d'une même table, le ton a monté d'un cran, menant souvent aux épisodes cacophoniques qui ont fait la renommée de *110 %*. Rapidement conquis, les téléspectateurs ont fait de *110 %* leur habitude télévisuelle. « À notre grande surprise, l'émission est devenue numéro un dans les sports, dit Luc Doyon. Notre public était composé autant de femmes que d'hommes. On avait donc atteint notre objectif d'intéresser les personnes les plus rébarbatives au sport. »

Ce succès aussi rapide qu'inespéré allait toutefois conduire au plus grand faux pas de l'histoire de *110 %* en mai 2002 : l'Affaire Jean Perron. Éric Lavallée en parle comme de la principale « tache » au dossier de l'émission. Sans entrer dans les détails, puisqu'un chapitre complet est consacré à ce fâcheux incident, mentionnons qu'il s'agit du soir où Perron a subi les foudres de François Gagnon et Pierre Rinfret. Ceux-ci ont attaqué et ridiculisé l'ex-coach, à la suite de révélations de ce dernier au sujet de la relation envenimée qui s'intensifiait entre le hockeyeur Yannick Perreault et l'entraîneur du Canadien Michel Therrien.

Le lendemain des déclarations de Perron, Éric Lavallée a dépêché Yvan Martineau dans le vestiaire du Tricolore pour recueillir les réactions des joueurs. « Donald Audette avait dit : "Jean Perron, ah, franchement... c'est pas la première niaiserie qu'il dit", se rappelle Lavallée. On avait utilisé ce segment dans l'ouverture de l'émission. Après, on a laissé aller le show. Je pense que c'était planifié [entre Gagnon et Rinfret]. Après le débat, j'ai dit à Jean que j'étais désolé. Il m'a répondu qu'il n'endurerait pas ça. » Perron allait effectivement se retirer de *110 %* durant plus d'un mois avant d'accepter d'y revenir, prié de le faire par la direction de la station.

Éric Lavallée se retrouvait inévitablement au front, chaque fois que *110 %* dérapait. Au fil des années, la personnalité flamboyante et l'ego des débatteurs ont causé leur lot de tension. Le journaliste François Gagnon s'est retrouvé plus souvent qu'à son tour au cœur d'altercations qui ont dégénéré. « C'est un sanguinaire, il est très *prime*, dit Lavallée. En ondes, c'était l'un des plus bouillants. J'ai dû l'arrêter à deux reprises avant qu'il ne se bagarre. » Ces débordements sont majoritairement survenus dans les premières saisons de *110 %*. Le public l'ignore, mais, dans les mois qui ont suivi l'Affaire Perron, Éric Lavallée a multiplié les communications dans l'oreillette de l'animateur Paul Rivard, chaque fois qu'il sentait la soupe chauffer. « On était devenus nerveux, dit Lavallée. Dès que je percevais un déséquilibre dans les propos des gars, je demandais à Paul de prendre le bord du débatteur qui était seul à défendre une idée. »

Ses patrons le tenaient également en garde à vue, sachant qu'il avait le succès de *110 %* à cœur, et qu'il ne reculait devant rien pour provoquer des étincelles sur le plateau. « Pour Éric, c'était *all out* tout le temps, il fallait parfois le contrôler, dit Bernard Brisset, directeur de l'information au Mouton Noir de 2003 à 2007. Je ne lui enlève rien, mais c'était un véritable volcan et on devait le harnacher. Parce que, nous, on ne souhaitait pas que ça dérape, on voulait des bonnes prises de bec et de l'engueulade. Quand les gars commençaient à pousser leurs chaises et à donner l'impression qu'ils allaient se battre, ce n'est pas ce qu'on désirait. »

Bisbilles salariales

Les cotes d'écoute avaient beau être au rendez-vous saison après saison, Lavallée, aidé de son équipe, cherchait toujours à surprendre davantage le public avec des invités plus originaux les uns que les autres. Maintenant que la formule de débats avait fait ses preuves, il s'agissait de dénicher des invités qui allaient s'assurer de faire décoller le show soir après soir. Une année, pas moins de 122 débatteurs se sont succédé sur le plateau. De l'animatrice Chantal Machabée à la productrice Anne-Marie Losique, en passant par le coloré chroniqueur Michel Girouard et le hockeyeur Donald Brashear, bien peu de personnalités ont refusé la tribune qu'offrait *110 %*. Le promoteur de boxe Régis Lévesque de même que l'animateur de radio et ex-candidat de l'ADQ, Jean-François Plante, ont aussi fourbi leurs armes dans une célèbre confrontation verbale. « Plante narguait Lévesque sans arrêt depuis le début du show, et, à un moment, Régis s'est retourné vers Paul Rivard et lui a dit : *"Tabarnak*, je vais le *câli-cer* par la vitre. Si le père Hilton était là, il le *crisserait* l'autre bord de la fenêtre"* », se remémore Éric Lavallée, qui peine à contenir un fou rire en évoquant ce souvenir.

Les performances des débatteurs étaient loin d'être égales. « On a ratissé large dans le choix des invités, mais peu de gens se sentaient à l'aise dans une formule de débats », explique Lavallée. Il se souvient d'un commentateur, supposément fort en gueule, qui lui avait promis de remettre plusieurs débatteurs à leur place si on l'invitait à *110 %*. « Quand son tour de parole est venu, il a hésité avant de dire qu'il avait perdu son idée. Ça semblait facile de débattre, mais ça ne l'était pas. »

Sur la centaine d'invités qui ont collaboré à l'émission au début des années 2000, seule une vingtaine d'entre eux ont été sélectionnés pour des participations ultérieures. Rapidement, Jean Perron, Michel Bergeron, Michel Villeneuve et François Gagnon sont devenus des réguliers. Une raison toute simple explique ce choix : les débats traitant du Canadien éclipsaient tous les autres sujets, en termes d'auditoire. Pas surprenant que les débatteurs spécialistes du Tricolore aient eu davantage de temps de glace.

Seul employé maison de TQS, Villeneuve détenait une entente qui lui assurait un minimum de trois participations à *110 %*, du lundi au jeudi. Il avait obtenu qu'on lui donne congé les vendredis. Un contrat liait également Bergeron à la station, lui qui apparaissait aussi fréquemment dans diverses émissions à titre de commentateur sportif officiel du Mouton Noir. L'entente garantissait un salaire dans les six chiffres à *Bergie*, mais aucun dirigeant de la station n'a voulu en dévoiler l'exacte teneur. La majorité des autres participants étaient rémunérés avec des cachets variant approximativement entre 325 et 400 $ par émission. Fait à noter, le columnist de *La Presse*, Réjean Tremblay, a reçu à certaines occasions un salaire pour le moins inusité. Grand collectionneur de pipes de toutes sortes, il a exigé d'être payé avec cet objet. « Il ne voulait pas être rémunéré, se souvient Luc Doyon. On lui achetait ces objets de collection ou on lui donnait les moyens de s'en procurer. »

Lors des deux dernières années de *110 %*, les débatteurs réguliers recevaient le plus haut tarif, soit 400 $, mais ils ne pouvaient collaborer avec des réseaux concurrents. « On achetait leur exclusivité pour 75 $ », explique Bernard Brisset. Il va sans dire que les différences de traitements salariaux ont fait beaucoup de mécontents. Serge Amyot et Gabriel Grégoire ont notamment rué dans les brancards lorsque TQS a amputé leur cachet de 75 $ en 2005, parce qu'ils passaient du statut de débatteurs réguliers à occasionnels. La présence des deux collaborateurs n'était plus requise sur une base quotidienne parce que la majorité des débats portaient désormais sur le Canadien alors qu'Amyot et Grégoire détenaient surtout une expertise au football.

Derrière ces baisses de salaire se cachait toutefois un motif tout autre. Les deux participants sont responsables de plusieurs controverses qui ont fini par irriter les patrons du Mouton Noir. Dans le cas de Grégoire, ses frasques verbales lui ont valu quelques suspensions, notamment le soir où il a utilisé les mots « manche à balai dans le cul », dans la foulée de la controverse entourant l'initiation des joueurs de football de l'Université McGill, à l'automne 2005. « On l'a mis en punition quelques mois », se rappelle Éric Lavallée. Une décision qui ne relevait toutefois pas du producteur délégué ; il ne se cache pas pour dire à quel point il appréciait Grégoire. « Je l'aime ce gars-là, c'est un bon père de famille avec de bonnes valeurs, dit Lavallée. Je lui disais que je voulais le meilleur show possible et durant les pauses, il me demandait toujours : "C'est tu bon, boss ?" C'est quelqu'un qui ne connaissait pas le médium de la télé et sa portée. Il ne voulait pas se faire maquiller et il arrivait avec ses longs cheveux… Mais c'est quelqu'un de bien. »

Aussi sympathique soit-il, la direction du Mouton Noir n'a pas hésité à reléguer Grégoire au banc des pénalités à quelques occasions. « On devait intervenir en raison de notre responsabilité de diffuseur, dit René Guimond, ancien président de la station. On a revu la séquence avec Gabriel et on l'a jugée inacceptable. » Grégoire est finalement revenu quelques mois plus tard dans le cadre d'une émission spéciale pour Noël. L'ancien footballeur formait un trio de juges avec Stéphan Grondin et Yvan Martineau, qui remettaient les médailles aux débatteurs de l'année. « C'est un de mes *110 %* préférés, confie Éric Lavallée. Jean Perron avait gagné dans la catégorie de la meilleure déclaration pour avoir dit : "Les joueurs de hockey, ce ne sont pas des fifis. Les tapettes, ça a les poignets cassés." » Quand François Gagnon a vu son éternel rival réapparaître en juge lors de cette émission, il a lancé en ondes à l'attention de sa conjointe : « Je ne serai pas le débatteur de l'année, Maryse, met les tourtières au four, j'arrive bientôt. » « J'ai regardé cette émission au moins 50 fois », dit Éric Lavallée.

La bourde de Serge Amyot

Quant à Serge Amyot, ce sont ses déclarations à propos d'un des principaux commanditaires de *110 %* qui l'ont précipité sur la voie d'évitement. Soulignons d'entrée de jeu que l'émission a longtemps fait ses choux gras des déclarations intempestives d'Amyot, qu'on a utilisées à toutes les sauces, bien que son domaine d'expertise se limite au football. « Serge a été très utile pour le show, mais toutes ses interventions se terminaient en queue de poisson, dit Éric Lavallée. Un soir, je me rappelle que le sujet tournait autour du dernier "vrai" glorieux à avoir joué à Montréal : il avait nommé Réjean Houle… »

Tout indique qu'à trop vouloir provoquer, Amyot a fini par se brûler. Ses écarts étaient tolérés par l'état-major de TQS, jusqu'à ce qu'il dépasse les bornes en attaquant directement la famille Tanguay, partenaire du holding Groupe BMTC (Brault et Martineau et Ameublements Tanguay). La famille est également présente financièrement dans plusieurs équipes sportives, dont les Remparts de Québec et le Rouge et Or de l'Université Laval. Dans la Vieille Capitale, Ameublements Tanguay figurait parmi les plus importants commanditaires de l'émission. Idem pour Brault et Martineau, à Montréal. Stéphan Grondin, aujourd'hui à RDS, œuvrait comme journaliste à *110 %* en plus de remplacer ponctuellement Éric Lavallée ; il se souvient bien de l'épisode en question. « Durant le débat, on vantait les Tanguay, qui aidaient beaucoup le sport amateur à Québec.

Amyot avait dit qu'ils se remplissaient plutôt les poches avec le Rouge et Or et le Peps. »

On raconte que les Tanguay ont vu rouge et menacé de retirer toute la publicité qu'ils achetaient dans l'ensemble du réseau. L'ancien grand manitou de TQS, René Guimond, hésite à revenir sur l'affaire qu'il qualifie de « dossier réglé ». Marchant sur des œufs, le gestionnaire admet s'être promptement rendu à Québec pour discuter avec Jacques Tanguay, et éviter que celui-ci ne mette sa menace à exécution. « On a rétabli le tout et on a renforcé nos relations », explique Guimond, qui n'a pas souhaité commenter plus à fond la nature de ses échanges avec Tanguay. Le Mouton Noir est parvenu à réparer les pots cassés, mais Serge Amyot s'est fait sérieusement frotter les oreilles. « Il était passé dans le bureau du président, se souvient Grondin. Il ressemblait à l'enfant convoqué par le directeur qui attend sur une petite chaise que la porte s'ouvre pour se faire chicaner, un peu comme à la petite école. » Par la suite, TQS a fait comprendre à Amyot que ses services ne seraient plus requis aussi souvent que par le passé. Quant à Stéphan Grondin, il se retrouve maintenant dans la grande famille du Réseau des sports, sur les ondes de RIS. Grondin remplaçait Éric Lavallée durant les vacances de ce dernier. Il ne cache pas sa déception de n'avoir jamais été pressenti pour animer l'émission durant les absences des animateurs réguliers.

Outre Grégoire et Amyot, Jean-Charles Lajoie fait partie du groupe sélect de débatteurs ayant suscité le plus de controverses, auprès tant du public que de l'ensemble des participants de *110 %*. À ses trois premières apparitions à l'émission en 2006, Lajoie n'a rien cassé. Peu bavard — à l'époque — il se contentait bien souvent de regarder passer la parade. Malgré ses piètres performances, il a jugé que son cachet de quelque 300 $ ne tenait pas compte de l'ampleur de son talent. « Honnêtement, il n'était pas très bon, dit Lavallée. Il demandait quand même une augmentation substantielle. Disons qu'on avait trouvé ça étrange. »

Éric Lavallée a jugé bon de faire patienter Lajoie une année, afin qu'il gagne en maturité. Avec une année de radio de plus derrière la cravate, le débatteur a rapidement crevé l'écran à son retour en 2007. « Ça faisait assez longtemps qu'il était sur le banc, et il a réalisé ce qu'il devait dire à *110 %* », explique Éric Lavallée. L'arrivée de Lajoie a coïncidé avec le départ de Villeneuve pour Radio-Canada. Il s'est rapidement implanté comme la nouvelle grande gueule de TQS. Lavallée en a fait un régulier de l'émission. Fait amusant, tout comme Michel Villeneuve, Lajoie s'est toujours assis au même endroit à *110 %*. Dans son cas, c'était pour une raison purement esthétique. « À l'intérieur de la table, il trouvait qu'on voyait trop sa calvitie », dit Lavallée.

L'un des nombreux défis d'Éric Lavallée consistait à rappeler à ses patrons et au public que *110 %* était un show et non une émission d'information. Si la chose semble acquise aujourd'hui, il faut se rappeler qu'au début des années 2000, *110 %* se situait dans une classe à part. Ce n'était ni un bulletin de sport, ni un talk show. « Parfois, les gens se plaignaient parce qu'on n'avait pas abordé telle nouvelle sportive qu'ils jugeaient importante. *So what ?* On en parlera demain, nous ne faisons pas de nouvelles. » À preuve, un soir où le Tricolore affrontait les Kings de Los Angeles en 2002, l'émission avait entièrement porté sur la participation de José Théodore au match des étoiles, annonce dévoilée durant la soirée. « À la toute fin du show, Paul a dit : "Ah oui, en passant le Canadien a gagné 3-2." Je rappelais toujours à mon équipe que les téléspectateurs pouvaient changer de poste à tout moment si c'était inintéressant. Il fallait constamment générer de l'émotion. »

Un motard veut la peau de Michel Villeneuve

Si Lavallée constituait l'âme de *110 %*, Villeneuve personnifiait à lui seul l'image du Mouton Noir que cherchait à véhiculer TQS. Des émotions, il en a suscité à la pelletée. Abonné en permanence à la controverse, le débatteur a pris un malin plaisir à confronter ses homologues avec toute l'arrogance qu'on lui connaît durant ses huit années à *110 %*. À la fois haï et adulé du public, il ne laissait personne sur son appétit. « Je recevais tellement de plaintes sur lui que ça me prenait deux heures par jour pour le défendre en répondant aux critiques », se souvient Éric Lavallée. Même son de cloche du côté de la direction. « Les cotes d'écoute ont commencé à chuter quand Villeneuve a quitté son employeur pour la SRC, dit Luc Doyon. On perdait notre couleur et les téléspectateurs ont commencé à trouver que le show levait moins. »

Villeneuve avait le don de se rendre détestable aux yeux du public, qui, quand même, finissait toujours par en redemander. Une bonne partie des téléspectateurs aurait voulu le voir disparaître du petit écran, mais ces mêmes personnes ont ultimement délaissé *110 %* après son départ de TQS. En plus des centaines de courriels de plaintes à son endroit, de nombreux téléspectateurs ont téléphoné à la station pour déblatérer contre Michel Villeneuve. C'était encore Éric Lavallée qui se retrouvait en première ligne. Il se souvient d'un moment plutôt énervant où un homme l'a appelé pour lui demander où Villeneuve avait l'habitude de déjeuner. « Il se décrivait comme un ancien motard, avec des *patchs* dans le dos. Il m'a dit : "Faites juste me dire où il mange, je veux l'assommer dans les toilettes parce qu'il me fait chier. Il ne laisse jamais parler les autres." J'ai essayé de le raisonner en lui disant que ce n'était que du sport. » L'homme a raccroché, sans évidemment avoir réussi à connaître le restaurant que fréquentait Villeneuve. Quant au principal intéressé, il a réagi avec son flegme habituel. « Un de plus ? Qu'il fasse la file », aurait-il répondu, selon Éric Lavallée.

Lavallée conserve évidemment des dizaines de souvenirs incroyables associés à *110 %* qu'il a dirigé de main de maître durant 10 ans. Statisticien hors pair, il se rappelle sans problème la plus forte cote d'écoute décrochée par la quotidienne. « On a fait 409 000 le soir où José Théodore a été échangé à l'Avalanche », se remémore-t-il. De son propre aveu, le débat entourant la nouvelle équipe de Théo ne passera pas à l'histoire. « Le show n'avait pas levé à mon goût », dit-il. Le succès de *110 %* résidait bien entendu dans la qualité des échanges entre les participants, mais une nouvelle d'importance comme la transaction du gardien québécois avec le Colorado suffisait à attirer les foules.

C'est toutefois lors des journées creuses où aucune actualité ne justifiait un débat qu'Éric Lavallée révélait l'ampleur de son talent. Il avait le don de dénicher des controverses qu'aucun journaliste sportif de la métropole n'osait déterrer. C'est lui qui a envoyé Yvan Martineau à l'abattoir en 2007, en lui demandant d'interroger Saku Koivu sur ses difficultés à s'exprimer en français, 12 ans après son arrivée avec le club montréalais. « Le Canadien venait de gagner quatre parties, ça allait bien pour l'équipe, dit Lavallée. Yvan est allé au front malgré tout et il a dit à Koivu : *"Do you think you should talk French ?"* »

Toujours sensible aux questions linguistiques, le Québec tout entier a réagi, oubliant du même coup que le CH se trouvait au cœur d'une séquence victorieuse. « Nous avons roulé trois jours là-dessus et de mémoire, le Canadien a perdu ses trois parties suivantes. » Martineau ne s'est évidemment pas fait d'amis dans l'organisation du Tricolore. Dans les semaines suivantes, le directeur des communications de l'équipe, Donald Beauchamp, n'a pas quitté des yeux le journaliste de TQS, cherchant à limiter les questions embarrassantes qui auraient été susceptibles d'alimenter les débats de *110 %*.

Victime de son succès, l'émission a aussi essuyé son lot de critiques. Des journalistes ont cassé du sucre à répétition sur le dos des participants de *110 %*. Dans les lignes ouvertes à la radio, de nombreux auditeurs ont aussi pris plaisir à descendre le travail de certains débatteurs. Éric Lavallée s'est fait un devoir constant de défendre la quotidienne. « J'ai toujours été fâché de constater que des gens souhaitaient la mort de *110 %*. On faisait vivre une cinquantaine de personnes par année. Je ne comprenais pas ceux qui chialaient. Personne ne les obligeait à nous regarder. »

Lavallée n'arrive pas à croire qu'on ait pu cracher sur son show. Il est vrai que *110 %* parvenait à attirer toutes les branches de la société. L'ancien président de TQS se classe d'ailleurs parmi les plus grands amateurs de la quotidienne. « Je suis un fan assidu et j'ai continué de l'écouter même après mon départ de la station », dit René Guimond. Complètement vendu à l'émission, Éric Lavallée conclut : « Même les femmes nous écoutaient, comment était-ce possible de ne pas aimer ça ? »

Chapitre 4

Le souriant Jean Pagé

Une grosse pointure succède à Rivard

L'arrivée de Jean Pagé à la barre de *110 %* à l'automne 2003 a provoqué une onde de choc dans le milieu télévisuel. Bien malins ceux qui auraient pu prédire que l'animateur quitterait un jour Radio-Canada, où il œuvrait depuis 30 ans. Il faut dire que le service des sports de la société d'État avait perdu de son lustre, avec la fin de son émission phare, *La soirée du hockey*. Des rumeurs circulaient aussi que le diffuseur public ne présenterait plus les Jeux olympiques dans un avenir plus ou moins rapproché. « Jamais au grand jamais, même dans mes rêves les plus fous, je n'aurais pensé partir pour travailler à TQS, dit Pagé. J'avais une sécurité d'emploi à Radio-Canada, donc j'ai beaucoup hésité avant de m'en aller. Sauf qu'avec la fin de *La soirée du hockey*, je ne voyais plus grand avenir pour le sport à la SRC. » Ironiquement, Pagé s'est retrouvé chef d'antenne aux Jeux de Vancouver à l'hiver 2010, faisant ainsi un pied de nez à son ancien employeur.

L'animateur s'est longuement demandé si le jeu en valait la chandelle. En se retirant de la société d'État, il disait adieu à une stabilité formidable. À quelques années de sa retraite, la décision était risquée. Qu'arriverait-il si on le remerciait après deux années au Mouton Noir ? « J'ai pensé rester à Radio-Canada pour assurer ma sécurité jusqu'à 65 ans », avoue-t-il. Ne connaissant pas les plans de la SRC à son égard, à la suite de la fin de *La soirée du hockey*, il a rencontré le directeur des sports, Daniel Asselin. « Il n'avait rien pour moi, raconte Pagé. Il m'a dit qu'il n'avait pas décidé encore. » Heurté par la désinvolture de son patron, l'animateur a commencé à parler sérieusement avec Luc Doyon à propos d'un éventuel contrat à titre de pilote de *110 %*.

Les pourparlers entre les deux parties devaient se faire dans le plus grand secret. Au moment des discussions, Paul Rivard animait toujours la quotidienne et Pagé demeurait lié à Radio-Canada. « Je rencontrais Luc Doyon et Louis Trépanier, en cachette, dans le restaurant de l'hôtel Delta », se souvient-il. Il a fallu quelques semaines pour compléter les tractations. Entretemps, Asselin n'a jamais manifesté à Pagé son désir de le garder. L'animateur s'est senti poussé vers la sortie par la direction. Dans une ultime rencontre en juin, Louis Trépanier s'est rendu chez Jean Pagé, et les derniers détails ont été négociés dans sa cuisine.

La succession de Paul Rivard suscitait beaucoup de réactions dans le monde de la télévision. Les journalistes affectés à ce *beat* tentaient depuis plusieurs semaines de publier en primeur le nom du nouvel animateur de *110 %*. Quelques secondes après avoir signé son contrat dans les bureaux de TQS, Mario Brisebois, du *Journal de Montréal*, a rejoint Pagé sur son cellulaire pour lui demander : « Et puis, c'est fait ? » Le principal intéressé lui a confirmé son embauche. « Je ne sais pas qui était son informateur, mais ça n'a pas pris de temps à se propager », dit-il.

Est-ce que le torchon brûlait déjà depuis quelques mois entre Daniel Asselin et Jean Pagé ? Toujours est-il que Radio-Canada a rapidement accepté la démission de son présentateur vedette, ne tentant aucunement de le retenir. « Ils m'ont tout de suite mis dehors, après 30 ans : c'est beau, hein ? » dit Pagé, visiblement heurté par l'attitude plutôt cavalière de son supérieur.

S'il perdait l'assurance de travailler jusqu'à la fin de sa vie professionnelle à un salaire défini par une convention collective, Jean Pagé a par contre accepté une offre très généreuse au Mouton Noir. Son chèque de paie, qui se situe dans les six chiffres, était supérieur à ce qu'il empochait à la SRC. Il savait également qu'il conserverait une bonne partie de sa pension de retraite. « Je n'ai certainement pas perdu au change », dit-il. Son collègue de longue date à la société d'État, Claude Quenneville, croit que la situation personnelle de Pagé à cette époque a aussi joué dans sa décision d'accepter l'offre du Mouton Noir. « Son départ de Radio-Canada correspond au moment où il a divorcé de Lisa Marois, confie Quenneville. Elle aurait droit à une partie de sa pension, mais ce qui est acquis après le mariage ne compte plus dans la séparation des biens. Il a donc choisi d'aller toucher le gros magot à TQS. »

Cet été-là, l'animateur a profité d'un congé de trois mois durant lequel il a beaucoup réfléchi à l'importante décision qu'il venait de prendre. Malgré l'euphorie engendrée par le nouveau poste qui l'attendait à la rentrée, il a douté à plusieurs reprises. « Je passais des nuits à ne pas dormir, en me demandant si j'avais fait le bon choix. » Le nouveau pilote de *110 %* a rapidement obtenu la réponse à ses interrogations. Après une première émission passablement émotive où Paul Rivard lui a transmis le flambeau, Pagé est littéralement tombé amoureux avec le concept du show dès le deuxième soir. Gabriel Grégoire et le coureur automobile Bertrand Godin s'étaient crêpé le chignon à souhait, au plus grand bonheur du nouvel animateur. Le débat portait sur les publicités de cigarette durant les Grands Prix. « Godin avait dit à Grégoire : "Avec les cheveux que t'as, tu dois en fumer du bon… tabac", se souvient Pagé. C'était absolument démentiel. En revenant à la maison en fin de soirée, j'ai réalisé que ça allait fonctionner. »

Une adaptation réussie

En embauchant un vétéran de Radio-Canada, Luc Doyon se doutait bien que la transition entre la télé publique et le Mouton Noir ne se ferait pas sans heurts. Aussi a-t-il patienté quelques semaines avant de rencontrer Jean Pagé pour dresser le bilan de ses premières émissions. Sans être durs, les commentaires qu'il lui a transmis ont secoué le nouveau venu. « Je lui ai demandé s'il trouvait que ça se passait à son goût, et il m'a dit oui, raconte Doyon. Vu que ça allait bien, je lui ai suggéré de commencer à vraiment animer le show et à diriger les débats. Au début, il ne faisait qu'écouter et rire. Il a rapidement compris ce qu'il devait changer. »

Après quelques semaines d'adaptation, Jean Pagé s'est senti comme un poisson dans l'eau à l'intérieur du studio de *110 %*. Il a vite constaté que le travail ne manquait pas à TQS. Après 30 années à l'emploi du diffuseur public, où les tâches sont définies à l'extrême et où le personnel abonde, il atterrissait dans une petite équipe de quatre soldats. « Les dernières années à Radio-Canada, on gérait la décroissance et ça chialait beaucoup, note-t-il. À TQS, on n'avait pas le temps de se plaindre, il fallait faire rouler une émission avec très peu d'employés. »

Et pour fonctionner, *110 %* avait besoin d'engueulades bien senties, de débats orageux et d'un brin de controverse. Jean Pagé a rapidement assimilé la recette. Comme ses confrères de l'équipe, il souhaitait que la pagaille prenne dans le studio le plus souvent possible. Si les cotes d'écoute ne constituaient pas la priorité de Radio-Canada lorsque Pagé y évoluait — les choses ont bien changé depuis — l'animateur n'a pas mis de temps à comprendre qu'il s'agissait du pain et du beurre du Mouton Noir. « C'est certain qu'on voulait que ça pète, car l'auditoire allait augmenter », lance-t-il. La plupart des patrons de la station ne se disaient pas en faveur des confrontations qui dégénéraient, comme celle opposant Jean Perron à François Gagnon et Pierre Rinfret. Pagé abonde dans le même sens, mais il voulait donner un bon show au quotidien. « Un soir, on a su que Sergeï Kostsityn était ivre et qu'il s'en venait frapper Jean Perron », raconte-t-il. C'était dans la foulée des révélations de Perron sur la conduite peu reluisante des frères K à l'extérieur de la glace. « Le bruit courait que Sergeï s'en venait cogner dans la vitre de *110 %* et qu'il voulait s'en prendre à Perron, poursuit Jean Pagé. Son frère Andreï et lui demeuraient tout près de TQS dans le Vieux-Montréal. Semble-t-il que leurs coéquipiers les ont retenus, mais nous, on aurait tellement aimé que ça explose. »

L'animateur s'est promptement départi de son style radio-canadien. D'abord, il a appris à exprimer des opinions, chose qu'on ne permettait pas, ou très peu, au personnel de la société d'État. Ensuite, son ton est devenu beaucoup plus populiste, et après quelques mois à la barre de l'émission, il n'a pas craint d'intervenir dans les débats, comme en font foi certaines prises de bec avec ses débatteurs. Ancien collègue de Jean Pagé à la société d'État, René Pothier n'a nullement été surpris des succès du nouveau pilote de *110 %*. Le journaliste n'a jamais pensé que Pagé ferait *patate* au Mouton Noir, malgré les différences notables dans le langage et le ton entre les deux réseaux. « Ce gars-là est un maître animateur, un vrai professionnel, dit-il. Il a animé toute sa vie et on ne savait pas ce qu'il pensait, mais je savais qu'il pouvait faire lever des débats. Il a changé, ni pour le mieux, ni pour le pire. La force d'un animateur, c'est de savoir s'adapter. À Radio-Canada, dans les années 1950, les animateurs parlaient avec un accent français dans les corridors. Aujourd'hui, ce n'est plus pareil, mais ce n'est pas pire qu'avant. »

Si Luc Doyon a reproché à Pagé de *dormir au gaz* à ses débuts à *110 %*, force est de constater qu'il s'est délié la langue par la suite assez facilement. Parlez-en à Bertrand Godin, qui a encaissé un soir les foudres de l'animateur. La discussion portait sur une fausse manœuvre effectuée par Jacques Villeneuve dans le virage Senna du circuit de l'île Notre-Dame. Godin soutenait qu'il s'agissait d'un incident de course alors que Jean Pagé parlait plutôt d'une erreur de Villeneuve. Bertrand Godin s'est alors emporté, affirmant que si Pagé prenait part à une course automobile, il se tiendrait parmi les derniers. Piqué au vif, l'animateur a répliqué de manière incisive. « Je lui ai dit que je n'étais pas pilote, mais bien animateur, se souvient Pagé. J'ai ensuite ajouté : "Moi j'anime encore, mais toi, tu es pilote et il me semble que tu n'as pas piloté depuis longtemps." » Les deux hommes ont toutefois échangé des excuses de circonstance, le lendemain de l'épisode.

Le journaliste et animateur Michel Langevin a aussi goûté à la médecine de Jean Pagé. L'animateur s'en souvient comme si c'était hier. « Michel m'a demandé ce que j'avais déjà gagné dans ma vie. Je lui ai répondu du tac au tac : "Huit MétroStars et deux Gémeaux, et toi ?" » Ce genre de pointes qu'aimaient s'adresser les débatteurs conférait à *110 %* son statut unique.

« Ça faisait la beauté du show », dit Pagé. Derrière une façade toujours souriante et presque doucereuse se cache un Jean Pagé capable de sortir de ses gonds. Lors d'un débat de fin de saison, Mario Langlois s'est permis de lancer vers l'animateur un « laisse-moi finir, *sacrament* ». Si les yeux de Jean Pagé avaient pu lancer des flèches, Langlois ne serait plus de ce monde. Il aura fallu une rencontre de réconciliation le lendemain pour éviter la menace d'expulsion proférée par Jean Pagé ; les deux se sont expliqués et se sont serré la main. La page a été tournée rapidement.

« Girouard avait sa place »

Conscient du besoin constant de susciter des réactions chez les téléspectateurs, Jean Pagé appuyait Éric Lavallée lorsque celui-ci invitait des débatteurs originaux comme Michel Girouard ou Serge Amyot. Le premier a su s'illustrer lorsque la famille de José Théodore a connu son lot d'ennuis avec la justice. Le célèbre gardien du Canadien a souvent fait les frais des magazines à potins, et Girouard a pris plaisir à donner son avis sur la question. « Il avait sa place, lance Jean Pagé. Éric et moi avons toujours été un peu rebelles et on aimait l'inviter. Il pouvait aussi bien parler du palmarès de maillots du *Sports Illustrated* que de Théodore. »

Si le bronzé chroniqueur s'est attiré la sympathie de la majorité des collaborateurs de *110 %*, on ne peut en dire autant de Serge Amyot. Au cœur de nombreuses polémiques, le débatteur s'est progressivement sorti lui-même de TQS. Éric Lavallée a souvent eu recours à ses services parce qu'il provoquait inévitablement des étincelles sur le plateau. « Le problème, c'est qu'il ne s'est pas renouvelé, dit Pagé. Même si on a laissé passer trois ou quatre ans avant de le réinviter, il mentionnait toujours les mêmes choses. On a fait le tour du jardin avec Serge, parce qu'il n'avait plus rien à dire. » Ti-Guy Émond figure aussi parmi les collaborateurs dont la présence était ponctuellement remise en question. Jean Pagé ne s'en cache pas, il a toujours apprécié les pitreries du sympathique chanteur country. Émond, qui ne portait pas Jacques Villeneuve dans son cœur, a fait du coureur automobile son bouc émissaire à *110 %*. « Quand il s'en prenait à Villeneuve, il était tellement bon, dit Pagé. Il passait son temps à répéter : "Il fait encore la première page du *Journal de Montréal* et il n'a rien gagné depuis cinq ans." »

Au fil des années, Pagé a développé une étroite relation avec plusieurs collaborateurs réguliers de l'émission, dont les deux Michel. Il connaissait déjà personnellement Michel Bergeron pour avoir travaillé avec lui à *La soirée du hockey*. Et il a rapidement appris à travailler avec la grande gueule par excellence de la station, l'autre Michel. « Villeneuve est très controversé, mais quel débatteur extraordinaire, dit-il. Il avait une façon de piquer les autres collaborateurs qui fonctionnait à tout coup. Et quand il était mal pris, il disait : "Ta cravate est laide." » Pagé aimait aussi côtoyer au quotidien *Bergie*, dont la popularité ne s'est jamais démentie, année après année. Son départ pour RDS a grandement attristé l'animateur. « C'était notre capitaine, celui qui rassemble. Ça m'a fait beaucoup de peine de le voir partir. » Quant à l'exode de Villeneuve, recruté par Radio-Canada en 2007, Pagé estime que le Mouton Noir a vu disparaître celui que les gens aimaient haïr.

L'arrivée de *La zone* a d'ailleurs frustré Jean Pagé, dont l'*alma mater* lançait un concept quasiment identique à celui de TQS, avec des moyens financiers beaucoup plus importants. « Ce n'était pas le rôle de la SRC », lance-t-il d'emblée. En plus de ravir au Mouton Noir son meilleur débatteur, Radio-Canada s'est progressivement approprié une part de marché qui appartenait depuis plusieurs années à TQS. « *La zone* est une copie conforme de *110 %*, il y a juste la table qui n'a pas été copiée, dit Pagé. Ça m'a fait mal de voir ça. Pourquoi essayer de nuire à un petit réseau comme TQS ? »

René Pothier ne partage pas du tout l'avis de Pagé. Pothier, qui a grandement contribué à *La zone* à titre de reporter et de débatteur, croit que le public radio-canadien méritait d'avoir une émission qui traitait de sport dans une formule de débats. « La forme était radio-canadienne, on ne parlait pas tous en même temps, défend-il. Les décors étaient aussi typiques de la SRC, de même qu'une certaine nuance dans les propos. »

Pas de «trou de cul de poule» à *110 %*

Bien entendu, la SRC a dû se frotter les mains devant le succès de *La zone*. S'agissait-il d'une douce vengeance contre celui qui avait déserté pour un réseau rival? Jean Pagé l'ignore et il ne souhaite même pas le savoir. Au même titre, il n'a jamais voulu connaître les états d'âme de ses ex-collègues, à la suite de son départ de Radio-Canada. «J'ai toujours été un peu à part dans la confrérie des commentateurs sportifs, dit-il. J'ai fait ma petite affaire sans m'occuper des autres.» Cet enseignement, Pagé l'a tiré de son ancien supérieur Yvon Giguère, qui lui avait conseillé de suivre son chemin sans se soucier des réactions autour de lui. «Quand il m'a engagé pour *La soirée du hockey* en 1987, je lui ai demandé comment se comporteraient mes collègues puisque j'étais parmi les plus jeunes du service des sports, raconte Pagé. Il m'a dit: "Le producteur te veut, même si tu es le dernier rentré. Ne t'occupe pas des autres et, si tu es seul un soir, tu liras un livre."»

Fort de cette idéologie, Jean Pagé n'a jamais fait de cas de ceux, et ils étaient nombreux, qui snobaient *110 %*. L'animateur prend plutôt un malin plaisir à rappeler aux détracteurs du show que des centaines de milliers de fidèles ont suivi l'émission soir après soir. «Je me fous de ceux qui disent que c'était bas de gamme, dit-il. Partout au Québec, les gens aimaient l'émission, car elle les touchait et ils s'identifiaient au concept. On ne parlait pas en trou de cul de poule et ça rejoignait le public.» Lors de ses nombreux déplacements en moto à la grandeur de la province, Pagé a constaté le succès phénoménal de *110 %*. Partout, les gens l'abordaient avec le sourire pour lui poser la sempiternelle question: «Pis, le Canadien?»

Voilà pourquoi il n'hésite pas une seconde à classer *110 %* dans la catégorie très sélecte des émissions cultes. Il parle même de phénomène de société. «Regarde comment on s'est fait copier, dit-il. Stéphan Bureau le dit lui-même; il a eu l'idée de *La joute* pour Télé-Québec avant de s'endormir après avoir regardé *110 %*.» L'animateur aurait également pu citer *Il va y avoir du sport* et *Le club des ex*, deux émissions à saveur politique qui se sont grandement inspirées du concept unique développé par Éric Lavallée et son équipe.

Le personnel de la SRC a-t-il des opinions ?

Avant d'hériter du siège d'animateur de *110 %*, Jean Pagé avait déjà collaboré à un débat mémorable de la quotidienne. Les fidèles se souviendront du soir où les commentateurs de *La soirée du hockey* avaient pris part à une édition spéciale de *110 %*, durant le lock-out qui sévissait à Radio-Canada, en 2002. C'est d'ailleurs durant ce bon moment de télé que la direction de TQS a songé à remplacer Paul Rivard par Jean Pagé. Celui-ci s'est présenté sur le plateau de *110 %* en compagnie de René Pothier, Claude Quenneville et Michel Bergeron. Les téléspectateurs du Mouton Noir, qui avaient l'habitude d'entendre les analyses rigoureuses, mais dénuées d'opinions, du personnel de *La soirée du hockey*, ont vu pour une rare fois Quenneville et Pothier prendre position en leur nom personnel. « La première réaction qu'on m'a adressée était : "Wow, on ne savait pas que ces gars-là avaient des opinions" », se remémore René Pothier, qui œuvre depuis plus de 30 ans à la télé publique. Avant de participer à cette émission sur un réseau rival, Pothier s'est assuré qu'il avait le feu vert de son syndicat. Il craignait les éventuelles représailles à son retour à Radio-Canada après le conflit de travail. La permission leur a été accordée. On dit même que le patron des sports de la SRC s'est délecté de l'émission. Le lock-out allait se terminer quelques jours plus tard.

La présence de l'équipe de *La soirée du hockey* a coïncidé avec un événement majeur des séries éliminatoires de 2002. C'est le soir où Richard Zednik a reçu le « coup de la corde à linge », gracieuseté du colosse Kyle McLaren des Bruins de Boston. Pour le public, il s'agissait d'une chance unique d'entendre les professionnels de la SRC donner leur point de vue sur l'assaut. « Ça a été la meilleure cote d'écoute de *110 %* pendant quelques années », dit René Pothier.

Claude Quenneville a aussi apprécié l'expérience. Fait à souligner, l'argent a contribué à le convaincre de participer à *110 %*. Avec son salaire réduit en raison du lock-out, il ne pouvait refuser les quelque 200 $ de cachet qu'on lui offrait. Il avoue toutefois avoir davantage fait office de spectateur durant l'émission. « Quand tu as besoin de sous, tu y vas, dit-il. Mais je n'ai pas dit un mot, je préférais écouter. » Néanmoins, il s'est amusé, lors de ses rares interventions, à prendre position. « Ce n'est pas parce qu'on n'a pas le droit de le faire à Radio-Canada qu'on n'avait pas d'opinion », explique-t-il. Les forts auditoires enregistrés lors de cette soirée ont aussi démontré l'attachement du public aux commentateurs radio-canadiens. « Ça prouvait que les gens s'ennuyaient un peu de nous », poursuit Quenneville.

De nombreux téléspectateurs ont également souligné l'audibilité de l'émission, en comparaison avec les débats habituels où le ton montait souvent jusqu'à la discordance. Dans les mois qui ont suivi son passage, Quenneville a d'ailleurs cru remarquer que les propos des commentateurs étaient devenus plus perceptibles. « Éric est un garçon intelligent, il a dû s'en rendre compte et il a ajusté le tir », note-t-il. En plus de permettre à TQS de décrocher des cotes d'écoute monstres, les débats impliquant les membres de *La soirée du hockey* — ils ont participé une seconde fois à *110 %* — ont fait réaliser à la direction de Radio-Canada que son personnel pouvait faire preuve d'opiniâtreté.

À long terme, le Mouton Noir s'est peut-être tiré dans le pied en répétant l'expérience, puisqu'en 2007, la SRC a mis en ondes *La zone* et René Pothier y a été intégré à titre de débatteur. Qui sait si le diffuseur public aurait songé à donner un tel rôle à son journaliste, si celui-ci n'avait pas pris part à *110 %* ? René Pothier est d'avis que son passage à TQS a provoqué un déclic généralisé à Radio-Canada. « À l'intérieur de la boîte, les gens se sont dit : "Nos gars ont montré qu'ils peuvent répondre si on leur pose une question." Dans la culture de l'entreprise, l'opinion devait être laissée à l'extérieur du travail. Petit à petit, le service des sports de la SRC a réalisé que cela n'était probablement pas une nécessité dans tous les domaines et qu'en sports, il pouvait faire appel à ses propres employés plutôt qu'à des journalistes de la presse écrite pour émettre des opinions durant les matchs de hockey. »

L'aventure de *La zone* aura duré trois ans. Malgré un important flot de critiques soulignant que l'émission ne cadrait pas dans le mandat radio-canadien, René Pothier a toujours défendu le concept. « Les gens qui écoutent *110 %* ne payaient pas moins d'impôt que les autres, dit-il. Ceux qui aiment le sport avaient le droit d'être servis à la SRC. » Des trois quotidiennes de débats, seule *L'antichambre* à RDS a survécu et est revenue à l'automne 2010.

Au moment d'écrire ces lignes, l'avenir de Jean Pagé flotte dans le brouillard. L'animateur a offert ses services à plusieurs réseaux de télévision et stations de radio. Des discussions ont notamment été entamées avec la Première chaîne de la SRC. Malgré la fin de *110 %* et de *L'attaque à 5*, il assume complètement son choix d'avoir quitté la stabilité de Radio-Canada. « Dès la deuxième émission de *110 %*, j'ai épousé le concept de l'émission et je n'ai jamais regretté une seconde mon départ », conclut-il.

Chapitre 5

Les coachs Michel Bergeron
et Jean Perron

Deux têtes d'affiche irrésistibles

On ne devrait pas s'étonner de l'incroyable popularité de *110 %* quand on sait que l'émission comptait dans ses rangs deux des personnalités sportives les plus appréciées du Québec en Jean Perron et Michel Bergeron. Les deux ex-entraîneurs ont connu une grande carrière dans la LNH. Respectivement à la barre du Canadien et des Nordiques, les deux anciens coachs ont su mettre de côté leur proverbiale rivalité au profit de *110 %*. « Perron n'était pas un ami », lance d'emblée Michel Bergeron. Même son de cloche chez son homologue. « Bergeron et moi étions des ennemis sur la glace, mais ça ne nous a pas empêchés de faire d'excellents débats », mentionne celui qui a gagné la coupe Stanley avec le Tricolore en 1986.

Des deux entraîneurs, c'est Jean Perron qui s'est amené le premier à TQS. Les téléspectateurs l'ont découvert à l'écran à la fin des années 1990 dans le cadre de *Sport Plus Extra*, alors animé par Yvan Martineau. À l'époque, l'ex-coach effectuait des présences ponctuelles au Mouton Noir, partageant son temps entre son appartement de l'Île-des-Sœurs et sa résidence de Saint-Sauveur. Alors que prenait naissance le concept de *110 %*, Éric Lavallée a rapidement songé à inclure Perron dans l'équipe de cette nouvelle émission. L'ancien entraîneur s'est retrouvé régulièrement au sein d'un trio en compagnie de

Michel Villeneuve et de l'ex-hockeyeur à l'imposante stature, Enrico Ciccone. « Nous étions en quelque sorte le bon, la brute et le truand », affirme Jean Perron, s'attribuant ainsi le rôle du gentil débatteur.

Ne roulant pas sur l'or à ses débuts, *110 %* ne bénéficiait pas de budgets suffisants pour convier plus de trois collaborateurs et un animateur en studio, se souvient Jean Perron. Comme on l'a vu plus haut, Lavallée a fini par inviter un quatrième débatteur sans en souffler mot à la direction. « Ça a fait boule de neige et l'émission a décollé », dit Perron, qui affirme avoir « embarqué dans le show », dès sa première participation.

Contrairement à Jean Perron, Michel Bergeron roulait déjà sa bosse dans les médias depuis plusieurs années lorsqu'il s'est assis pour la première fois autour de la table de *110 %*. Le Tigre avait connu de beaux moments comme analyste à TVA et à la SRC dans les années 1990, en plus d'intervenir fréquemment à la radio. Extrêmement populaire auprès du public — « tout le monde l'aime », affirme Paul Rivard — *Bergie* a également couvert les Jeux olympiques de Salt Lake City. « J'ai hésité longuement avant de quitter Radio-Canada, mais je ne voulais plus voyager, confie-t-il. Luc Doyon m'a proposé de travailler à *110 %*, puis à *Caféine* (lui offrant un contrat d'exclusivité dans les six chiffres). J'ai adoré mon expérience à la SRC, mais j'avais fait le tour. J'avais couvert les plus beaux Jeux olympiques durant lesquels Mario Lemieux et Paul Kariya avaient battu les Américains en finale. J'ai donc accepté l'offre de TQS. »

Tel un bon politicien qui aime apparaître dans l'ensemble des réseaux de télévision et qui ne veut surtout pas se mettre quiconque à dos, Bergeron soutient avoir apprécié tous les débatteurs qui se sont succédé dans les fauteuils de *110 %*. Souhaitant s'assurer que ses propos n'allaient heurter aucun collaborateur de l'émission, *Bergie* a même communiqué à quelques reprises avec l'auteur de ces lignes. Il a tenu à réaffirmer son estime de tous les participants de *110 %*, y inclut Jean Perron. « Il n'est pas prétentieux même s'il a coaché dans la LNH, dit *Bergie*. En fait, il est comme moi, car je ne suis pas orgueilleux. Je suis arrogant et baveux sur les bords, mais j'ai conservé des amis partout, que ce soit à TQS, RDS ou Radio-Canada. »

Aussi houleux fussent-ils, les débats ne représentaient pour Bergeron que de simples discussions entre amateurs de hockey. « Il y a toujours eu beaucoup de respect », note-t-il. Vraiment ? Trop aimable, mais il est permis d'en douter. À preuve : victime de l'attaque virulente de François Gagnon et Pierre Rinfret, Jean Perron tient évidemment un discours beaucoup plus nuancé. « Après cette soirée-là, je suis venu à un cheveu de quitter à jamais le show », confie-t-il. Même si plus de huit ans se sont écoulés depuis la fameuse soirée où il été pris à partie, Perron demeure toujours stigmatisé par le fâcheux incident. En l'écoutant livrer sa version des faits, on réalise à quel point il a été blessé par les propos des deux débatteurs. Durant l'émission diffusée en mai 2002, non seulement Rinfret et Gagnon ont remis sa crédibilité et son intégrité en doute, mais le journaliste de *La Presse* a, de plus, ajouté « l'insulte à la blessure » en critiquant durement le travail accompli par Perron en 1986, année où il a mené le Tricolore à sa 23e coupe Stanley. « François Gagnon m'a dit : "Tu as gagné la coupe, mais tout le monde te détestait dans le vestiaire." » Une affirmation extrêmement dure — et un peu gratuite — qui a démoli Perron.

« L'œil au beurre noir de *110 %* »

Encore aujourd'hui, Jean Perron n'en démord pas. Il maintient sa version qu'un conflit de personnalités existait bel et bien entre Yanic Perreault, ancien joueur de centre du CH, et son entraîneur de l'époque, Michel Therrien. On se rappellera que Perreault avait été écarté de l'alignement lors du sixième match de la demi-finale d'association contre les Hurricanes de la Caroline. Qui plus est, on avait confiné l'attaquant au banc de l'équipe lors d'une mise en jeu cruciale durant la cinquième rencontre. L'une des forces de Perreault était la mise au jeu, surtout dans les moments clés d'un match. En son absence, Bill Lindsay avait été dépêché. Beaucoup moins habile, il avait perdu le duel.

Selon la version du Canadien, on avait demandé au hockeyeur de demeurer à la maison pour la sixième partie éliminatoire en raison d'une grippe qui l'affligeait. On voulait éviter toute contagion, avait expliqué l'organisation aux médias. Or, une source de Jean Perron lui avait tenu un tout autre discours. «Yannick était vert comme une olive avant le match, raconte-t-il. Naturellement, il n'était pas dans sa meilleure forme, mais en séries, il faut que tu aies un bras cassé pour ne pas jouer. Ce n'est pas une grippe qui t'en empêche.» Sûr de son information, Perron y est allé d'une sortie fracassante en après-midi, affirmant à CKAC que Therrien avait lui-même insisté pour que le petit joueur de centre ne participe pas au match. Un scoop qui allait évidemment déclencher les passions, une fois le CH éliminé par la Caroline. Les lignes ouvertes ont littéralement explosé autour de ces révélations. Perreault, un attaquant québécois chéri par les amateurs, aurait-il pu aider son club, maintenant sorti de la danse printanière? Voilà la grande question qui a accaparé le Québec durant plusieurs jours à la suite de la défaite du Tricolore.

Comment expliquer l'attaque démesurée contre Jean Perron? À la lumière des témoignages recueillis, il semble qu'une lutte d'ego soit derrière l'avalanche de propos fielleux adressés à l'ex-coach. François Gagnon couvrait alors les activités de la LNH pour le compte du quotidien *Le Soleil*. Quant à Pierre Rinfret, il était descripteur des matchs du Canadien pour CKAC, un emploi qu'il allait perdre un an plus tard, remplacé par Martin McGuire. Rinfret et Gagnon estimaient donc être au courant des moindres détails entourant les joueurs du CH. Ils n'ont tout simplement pas digéré qu'un entraîneur à la retraite vienne les scooper sur leur propre terrain. «Ils se sont dit: "Comment Perron peut-il se permettre de dire ça?" se souvient l'ex-entraîneur. Mais moi, j'ai tenu à ma version, ce qui m'a valu de manger une volée de bois mort [*sic*] ce soir-là.» Dans le milieu, il est également connu que Pierre Rinfret et Michel Therrien entretenaient une relation étroite et privilégiée. En tant que voix officielle du Tricolore à la radio, le descripteur devait également défendre l'organisation, affirme Jean Perron. «Le

Canadien avait approuvé la nomination de Rinfret à CKAC. Voilà pourquoi il est allé au bâton pour défendre Michel Therrien. Il a remis ma compétence en doute. Ça a été dramatique dans mon cas. Je suis sorti de là complètement abattu.» Cette virulente sortie avait-elle été préméditée? Impossible de l'affirmer avec certitude. On sait toutefois que Pierre Rinfret a téléphoné à Michel Therrien, avant le show et à sa sortie du plateau, pour s'assurer que l'entraîneur n'avait rien manqué du spectacle. Un témoin oculaire, qui a assisté à l'engueulade en règle, a confié avoir vu et entendu Rinfret demander à Therrien immédiatement après le show: «Pis, as-tu aimé ça, je t'avais dit que j'le manquerais pas.»

Sans doute dépassé par les événements, Paul Rivard n'a rien fait pour stopper l'hémorragie, semblant même se délecter de la situation. Jean Perron déplore la passivité de l'animateur, qui n'est jamais intervenu malgré l'ampleur du dérapage. «Je me rappelle que Paul a dit: "Moi, j'accepterais d'en animer des émissions comme celle-là, sans être payé"», dit Perron. Ces propos sont pour ainsi dire devenus la goutte qui a fait déborder le vase. «Ça m'a écorché, j'étais profondément blessé et je me suis dit, plus jamais je n'irai à ce show.» Successeur de Rivard, Jean Pagé soutient que l'équipe de *110 %* s'est par la suite inspirée de ce triste épisode pour éviter les débordements. «Ça a été un œil au beurre noir pour l'émission, dit l'ancien de Radio-Canada. J'avais trouvé ça *cheap*, à l'époque.»

La direction de TQS s'est alors retrouvée entre l'arbre et l'écorce. D'un côté, l'émission où Perron s'est fait discréditer a récolté des cotes de popularité monstres, l'affaire étant même reprise dans les journaux et à la radio. De l'autre, Jean Perron était sans équivoque l'une des personnalités les plus aimées de *110 %*. La station ne pouvait se permettre de perdre ses services. Éric Lavallée et Luc Doyon, l'un des patrons de TQS, ont tour à tour communiqué avec Perron pour le prier de revenir. Malgré l'ampleur de la controverse, Doyon ne conserve pas de souvenirs précis des suites de l'incident. «Je me rappelle avoir demandé des excuses, car on voulait garder Perron», dit-il. Quant au président du Mouton Noir, René Guimond, il avait également convenu de la dureté injustifiée du traitement encaissé par Perron. « Il ne méritait pas ça, surtout qu'il avait tellement donné pour *110 %* », explique-t-il.

De son côté, Perron a consulté plusieurs des autres participants de *110 %* pour leur demander leur avis, à savoir s'il devrait réintégrer ou non l'émission. Luc Doyon l'a assuré que des excuses publiques en bonne et due forme seraient formulées par Gagnon et Rinfret. Sur les ondes de CKAC, les auditeurs ont accueilli le journaliste de *La Presse* avec une brique et un fanal, ce qui a sans doute réconforté Perron. « Il [Gagnon] s'est fait ramasser dans les lignes ouvertes, les gens disaient que j'avais droit à mon opinion », se remémore le coloré débatteur. TQS a aussi reçu plus de 750 courriels, en majorité en faveur de Perron.

Gagnon et Rinfret se sont excusés dans les jours qui ont suivi. « C'était un peu du bout des lèvres, mais ça a été fait », se souvient Éric Lavallée. De son côté, Perron est formel : il ne serait jamais revenu sur le plateau de *110 %* sans un *mea culpa* de ses détracteurs. Le public l'a finalement revu à TQS plus d'un mois après l'incident. Aujourd'hui, il a tourné la page, mais le souvenir de ces attaques personnelles reste gravé en lui. « Quand tu es dans ce domaine-là, tu ne peux pas t'attendre à toujours avoir raison. Moi, quand j'ai une information que je sais être fiable, je n'hésite pas à la divulguer. Certains ont dit que j'avais une pensée unique et c'est vrai. Je ne dois rien à personne et je respecte tout le monde. »

De son côté, Michel Bergeron hésite à lancer directement la pierre à Gagnon et Rinfret pour leur médisance à l'endroit de Jean Perron. *Bergie*, qui a regardé cet épisode mémorable de *110 %* à son domicile, soutient s'être senti mal à l'aise en voyant son ancien homologue vilipendé de la sorte. Néanmoins, il ne condamne pas directement l'attitude des deux débatteurs qui s'en sont pris à Perron. Bergeron — comme c'est son habitude — aurait certainement de la difficulté à reprocher quoi que ce soit à Rinfret, car, c'est bien connu, les deux passent beaucoup de temps ensemble, sur les terrains de golf, notamment. « J'ai trouvé qu'ils en mettaient trop, mais je sais que les deux étaient peinés le lendemain, dit prudemment Bergeron. Je compare cela au fameux match du Vendredi saint. Tu ne veux pas que ça arrive, mais tu deviens *crinqué*, et ça explose. C'est certain que François et Pierre n'ont pas la langue dans leur poche. » L'ancien coach, lui-même reconnu pour ses sorties à l'emporte-pièce lorsqu'il dirigeait les Nordiques, affirme avoir soutenu Jean Perron dans cette affaire. « Je l'ai appelé et j'ai pris son bord », dit-il.

D'autres révélations-chocs sur le CH

Quelques années après s'être attiré les foudres de ses deux collègues de *110 %*, Perron n'a pas hésité à récidiver en y allant de révélations qui allaient enflammer tout le Québec au printemps 2009. Il a dévoilé le premier des informations incendiaires à propos de la conduite hors glace de plusieurs jeunes joueurs du Canadien, notamment Carey Price, Chris Higgins et les frères Kostsityn. Le quotidien *La Presse* a fouillé davantage l'affaire en mettant au jour les relations peu recommandables d'Andreï et Sergeï avec certains milieux. Après avoir obtenu des détails « en béton » provenant de sources policières, Jean Perron a personnellement tenté de communiquer avec Bob Gainey. Le directeur général de l'équipe ne l'a pas rappelé, laissant son responsable des communications le faire. « Donald Beauchamp a pris tous les renseignements que je lui ai donnés. Je lui ai fourni tout ce que je savais, avec les dates et l'historique. Je suis convaincu que Gainey ne m'a pas téléphoné parce qu'il connaissait déjà ces faits. Pour avoir déjà eu des démêlés avec Shayne Corson et Chris Chelios à l'époque, je sais que l'organisation est toujours informée en premier lorsqu'il y a enquête policière. »

À la suite de ces révélations, Guy Carbonneau, alors entraîneur du club, a pris la défense de ses joueurs, attaquant à son tour la crédibilité de Perron. Ce dernier n'en garde pas d'amertume. « Il a dit qu'il n'avait plus aucun respect pour moi, se souvient-il. Guy était fâché, il a cherché à protéger l'équipe. Il y a quelques mois, je suis allé aux MétroStars, où il a reçu un hommage. Il m'a vu et m'a serré la main. Avoir été à sa place, j'aurais aussi pris le côté de mes joueurs. » Malgré ses sorties hautement médiatisées, Jean Perron soutient être demeuré dans les bonnes grâces de l'organisation. « Je rentre chez le Canadien comme je rentre chez moi, dit-il. Je n'ai rien à me reprocher. Ce sont les joueurs au comportement douteux qui devraient avoir honte. » Perron a toujours marché la tête haute, à la suite de ses révélations. Sa famille a toutefois redouté que les ondes de choc qu'il amorçait lui causent des embêtements lors de ses nombreux déplacements publics. Chaque année, Perron assiste à un match au Centre Bell en compagnie de ses deux fils, dans la trentaine. L'an dernier, l'un d'eux a tenté de dissuader son père de se rendre à la partie, qui survenait quelques semaines après l'affaire concernant les frères Kostsityn. « Mon gars m'a dit : "Papa j'ai peur d'aller là-bas, tu vas te faire lancer des tomates." C'est plutôt l'inverse qui s'est produit. Les gens m'ont remercié de leur donner l'heure juste. Partout dans l'amphithéâtre, les partisans se disaient heureux que *110 %* ait sorti la vérité. Par contre, la femme d'un joueur de l'équipe m'a vu ce soir-là, et disons qu'elle ne m'a pas adressé de félicitations. »

Jean Perron n'a jamais craint de critiquer le Tricolore ou de dévoiler des informations sur certains hockeyeurs, aussi embarrassantes soient-elles. Rappelons-nous que dans la saga d'Eric Lindros et des Nordiques de Québec, en 1992, Perron avait dévoilé à la radio que l'équipe de la Vieille Capitale avait allongé des dizaines de millions de dollars pour attirer le controversé attaquant chez elle. De nombreux commentateurs avaient accusé Perron de tous les maux, cherchant à le discréditer, jusqu'à ce qu'il sorte un document-choc : l'offre de contrat signée de la main de Marcel Aubut, alors président de la formation de Québec. Preuve que Jean Perron n'a jamais retenu sa langue lorsqu'il était convaincu de détenir la vérité.

Des *joueurnalistes* au français déficient

Malgré leurs personnalités diamétralement opposées, Jean Perron et Michel Bergeron ont contribué à mousser la popularité des *joueurnalistes* au petit écran. Avec les anciens hockeyeurs Enrico Ciccone et Marc Bureau, les deux ex-coachs figurent parmi le lot de personnalités sportives dont la carrière a connu un second souffle à TQS au tournant des années 2000. Ils ont su profiter de leur vaste expérience pour donner une autre couleur aux débats de *110 %*. Si leur compétence en matière de sport professionnel peut difficilement être remise en cause, on leur a souvent reproché la piètre qualité de leur français. Il faut dire qu'en présence de débatteurs issus du milieu journalistique, Perron et Bergeron ne faisaient pas le poids au niveau de la langue. Le premier était reconnu pour ses maximes plus célèbres les unes que les autres. Le terme *perronisme* se retrouve d'ailleurs sur Wikipédia. Des listes d'expressions présumément déformées, voire massacrées, par l'ancien entraîneur — *Il a pris la foudre d'escampette* ou *Des joueurs comme lui, ça ne pleut pas dans les rues* — pullulent également sur le Web.

Quant à *Bergie*, il n'a eu d'autres choix que d'améliorer son français, lui qui a débuté dans les médias à TVA en compagnie de Richard Garneau, un homme reconnu pour sa maîtrise exemplaire de la langue de Molière. « Mon vocabulaire n'était pas trop bon à mes débuts, reconnaît d'emblée le Tigre. Ma femme voulait aussi que je suive des cours de diction. » L'animatrice Danielle Rainville — à l'époque au service de Radio-Canada — a aussi fait du français de Bergeron son cheval de bataille. « Elle écoutait mes interventions et toutes les fois où je disais "si et rais" (par exemple *si j'aurais*) dans la même phrase, elle écrivait la chose sur un tableau, se souvient l'ex-coach. Elle notait toutes mes fautes courantes. Je voyais que je parlais mal. Quand je faisais une erreur, j'essayais de ne pas la répéter par la suite, mais c'était loin d'être simple. Néanmoins, les gens ont toujours été respectueux. Ils comprennent d'où je viens et par où je suis passé. »

Michel Bergeron tirait un plaisir fou de ses participations au show, ça sautait aux yeux. On ne se surprend donc pas d'apprendre qu'il arrivait très tôt au studio, parfois quelques heures avant le début de l'émission. « J'étais un des premiers sur place, dit-il. J'allais prendre un café avec Jean Pagé et Éric Lavallée. » Cette complicité unissant l'ancien coach à Pagé, avec qui il avait œuvré à la SRC, transparaissait à l'écran.

Dire que le public l'appréciait est un euphémisme. Véritable figure de proue de *110 %*, la popularité de *Bergie* ne s'est jamais démentie. Ceux qui en doutaient en ont eu la preuve le soir où l'ancien entraîneur s'est étouffé en ondes, juste avant une pause publicitaire. La panique s'est rapidement emparée du studio, alors que toute l'équipe craignait que Bergeron ne soit victime d'un infarctus. « Ça a été mon pire débat, confie le Tigre. Avant la pause, quelqu'un lançait toujours une farce plate. J'ai pris une gorgée d'eau à ce moment, et elle n'a pas passé. Tout le monde a cru que j'avais un malaise cardiaque. Moi, je voulais simplement qu'on me donne une tape dans le dos. » À la régie, quelqu'un s'apprêtait à appeler le 9-1-1.

Bergeron a finalement retrouvé son souffle juste au moment de retourner en ondes. « J'ai appelé ma femme pour la rassurer, dit-il. Il était temps que le show recommence parce que je ne voulais pas recevoir 56 000 appels de gens inquiets. » Lorsque l'émission a repris, Bergeron est apparu, encore rouge et passablement essoufflé. Il a tranquillisé ses nombreux fans, mais il a éprouvé de la difficulté à s'exprimer jusqu'à la fin de l'émission. « Des personnes m'en parlent encore », affirme Michel Bergeron.

Du vestiaire à *110 %*

Même s'ils avaient quitté le hockey professionnel depuis plusieurs années, Bergeron et Perron ont continué d'exercer une certaine influence au sein de la LNH via *110 %*, du moins auprès du Canadien et des joueurs francophones de la ligue nationale. On se doutait bien que la direction du Tricolore aimait savoir ce qui se disait sur son compte à *110 %*, mais Jean Perron nous apprend qu'un membre du personnel de l'organisation avait pour tâche d'enregistrer les émissions et d'assurer un suivi avec l'état-major du CH. « Le Canadien appréciait quand on parlait d'eux, même qu'ils avaient besoin de cette visibilité », affirme Perron.

Fait étonnant, l'ancien coach recevait souvent l'appel du responsable des communications du club, Donald Beauchamp, lorsque ce dernier estimait qu'une fausseté avait été mentionnée sur l'équipe. « Toutes les fois que je sortais une information que l'organisation croyait inexacte, Beauchamp me contactait pour rectifier le tir. Je sais aussi que les joueurs, surtout les

Québécois, écoutaient attentivement ce que je disais. Ils savaient que j'avais longtemps été impliqué dans le milieu. » Parmi les hockeyeurs du Québec qui syntonisaient TQS à l'extérieur de la province, Perron cite Vincent Lecavalier à Tampa Bay, Maxime Talbot à Pittsburgh et les joueurs francophones évoluant avec les Islanders à Uniondale. Lorsqu'il dirigeait le Canadien, Guy Carbonneau ratait rarement un épisode, selon Perron. « Mais il ne l'avouera jamais publiquement », d'ajouter l'ancien coach.

Les *joueurnalistes* et les reporters d'expérience comme Bertrand Raymond, Réjean Tremblay et Marc de Foy jouissaient également d'une bonne crédibilité auprès des joueurs. Quant aux nouveaux venus, comme Jean-Charles Lajoie, leur opinion était moins respectée. « Les sportifs prennent davantage avec un grain de sel les opinions de ceux qui n'ont pas d'expérience dans les ligues majeures », dit Jean Perron.

Ce dernier confirme d'ailleurs que l'arrivée de Lajoie autour de la table de *110 %* a provoqué son lot d'étincelles. Rapidement reconnu pour son ton tranchant et la place prépondérante qu'il accapare dans un show de télévision, le gagnant du concours radiophonique Sport Académie a reçu un accueil mitigé de la part de Perron. « J'ai eu certaines réticences quand je l'ai vu. Qui le connaissait ? On lui a fait comprendre qu'il ne pouvait pas couper la parole à tout le monde pour augmenter son prestige. Puis, j'ai fini par m'habituer à son style, différent de celui des autres débatteurs. »

Maniant facilement le verbe et fort en gueule, Jean-Charles Lajoie a quelques fois confondu Jean Perron, qui peinait à le suivre après ses grandes envolées lyriques. À un moment, les médias ont rappelé que Bob Gainey avait dirigé une célèbre équipe française, les Écureuils d'Épinal. Fort de cette information, Lajoie y est allé de plusieurs analogies entre le directeur général du Canadien et ses joueurs, qu'il appelait les noisettes de Gainey. « Il avait tendance à exagérer avec ses expressions et ses mots scientifiques, parfois je ne le comprenais pas, se remémore Perron. Mais à la longue, je l'ai trouvé comique. »

Avec la fin de *L'attaque à 5* en mai 2010, les téléspectateurs de TQS et de V ont perdu leur contact quotidien avec Jean

Perron. Quant à Michel Bergeron, il a quitté le Mouton Noir à l'automne 2008 pour se joindre à RDS qui lançait *L'antichambre*. N'empêche, pendant plus de sept ans, les deux entraîneurs auront conjointement marqué le paysage médiatique. La présence de ces coachs quasi mythiques aura certainement servi à hisser *110 %* au rang d'émission culte.

Chapitre 6

Des anciens Canadiens

Ciccone avait envie de « tuer » après *110 %*

Avant l'ère de *110 %*, les athlètes à la retraite disposaient de bien peu de tribunes pour analyser ou commenter le sport professionnel. L'émission culte de TQS a le mérite d'avoir donné à de nombreux *joueurnalistes* la chance de se faire valoir. Enrico Ciccone est l'un d'eux. L'ex-dur à cuire venait à peine d'accrocher ses patins qu'Éric Lavallée l'approchait. Le robuste hockeyeur s'est retrouvé à *110 %* le soir même de l'annonce de sa retraite, en 2000, après avoir joué trois matchs dans l'uniforme du Canadien. « Je suis passé à l'aréna chercher mon équipement et je me suis rendu directement au studio de TQS tout de suite après », témoigne-t-il.

Ciccone a bien aimé se retrouver aux côtés de Jean Perron et Michel Villeneuve, mais la pression du show l'a rapidement accaparé au point même où il a pensé tout abandonner après un mois seulement. « J'avais pris ma retraite du hockey parce que je n'étais plus capable de me conditionner à être agressif pour me battre à chaque rencontre, dit-il. Mais quand je sortais de *110 %*, avec toutes les aberrations que j'entendais, j'avais envie de tuer quelqu'un. » L'ancien hockeyeur habitué à faire rouler ses poings pour se faire respecter devait désormais répliquer avec sa bouche, un domaine dans lequel il n'excellait pas à ses débuts. Ciccone, qui se décrit comme un être poli, s'est surpris en répondant de façon dure et parfois irrespectueuse aux autres débatteurs. « Je n'avais jamais parlé comme ça à des gens auparavant », dit-il. À force de côtoyer Villeneuve, qui excelle dans l'art de pousser ses adversaires à bout, Ciccone a fini par lui rendre la monnaie de sa pièce. « Une fois, je lui ai dit : "La différence entre toi et moi, c'est que, moi, quand je n'ai plus rien à dire, j'arrête de parler. Toi, tu continues et tu dis des niaiseries." » Un autre soir, après que Villeneuve eut qualifié son idée de « bon point », Enrico Ciccone a rétorqué : « Moi, au moins, je suis qualifié pour parler de hockey. »

Connaissant le côté émotif de l'ex-athlète, on le croit sur parole lorsqu'il affirme avoir dû contenir à maintes reprises son désir d'en découdre avec des débatteurs. Éric Lavallée se réjouissait bien évidemment des sautes d'humeur de Ciccone, qui pimentaient les premiers débats de l'émission. Le producteur délégué n'a toutefois eu d'autres choix que d'accepter la décision de l'ancien bagarreur de la LNH lorsque celui-ci lui a annoncé qu'il se retirait de *110 %*. « J'étais fatigué et le show me faisait constamment sortir de mes gonds », dit-il. Après quelques semaines de repos à la maison, Ciccone a cependant réalisé qu'il était devenu un fan de l'émission. Non seulement la regardait-il pratiquement tous les soirs, mais il estimait également qu'il devait retourner en studio pour protéger les joueurs professionnels, trop souvent varlopés par les commentateurs et journalistes sportifs. Pourtant, Ciccone n'écoutait jamais *110 %* lorsqu'il évoluait dans la LNH. Maintenant qu'il y avait goûté, à titre de débatteur, il avait saisi l'importance de cette tribune pour donner son point de vue de l'intérieur sur le Canadien et le hockey. « Ce qui se disait sur les joueurs était incroyable. En tant qu'ancien, j'étais le seul qui pouvait les défendre. C'est bien beau avoir vu 4 000 parties, mais, tant que tu n'es pas sur le banc, tu ne comprends pas le vrai *feeling*. »

Les déclarations de débatteurs au sujet de la supposée absence de leadership dans le vestiaire du Tricolore *pompaient* particulièrement Enrico Ciccone. Idem pour les commentaires négatifs non justifiés sur certains joueurs. Un soir où *110 %* avait présenté en début d'émission un vox pop d'étudiants au sujet du Canadien, Ciccone a particulièrement tiqué. Rivard, qui n'en manquait pas une, a remarqué la moue de l'ancien homme de fer du Canadien. L'animateur lui a demandé ce qui le dérangeait dans les propos entendus. Ce à quoi Ciccone a répondu : « Ce sont des étudiants, qu'ils restent dans leurs livres. » La réplique de Rivard a immédiatement fusé : « Au moins, eux, ils ont déjà lu des livres. » Fulminant, Enrico Ciccone a regardé le pilote de *110 %* droit dans les yeux et lui a balancé : « Écoute-moi bien, Rivard ! Moi, ça fait au moins trois ans que je suis en télévision et je m'en tire plutôt bien même si ce n'est pas mon domaine. Toi, Rivard, tu ne passerais même pas 30 secondes avec moi sur la glace. »

Un malaise général s'en est suivi sur le plateau. Le lendemain, Réjean Tremblay en a traité dans *La Presse*, soulignant que l'animateur avait échappé « une remarque malheureuse » avant qu'Enrico Ciccone ne le remette à sa place. Même l'ancien Glorieux Émile Bouchard est tombé des nues en entendant la remarque méchante lancée par Paul Rivard. « Croit-il que nous sommes tous des niaiseux ? » a demandé « Butch » à Ciccone. L'affaire s'est réglée dans les jours suivants par un coup de téléphone, mais aucune excuse formelle n'a été adressée à Ciccone. « Paul m'a seulement dit, on arrête ça là, on n'en parle plus. »

Leçon de journalisme 101 de P.J. Stock

Cette anecdote illustre bien le combat mené par les *joueur-nalistes* pour établir leur crédibilité. La rivalité entre les professionnels des médias et les ex-athlètes a créé bien d'autres tensions à *110 %*. On se souviendra du fameux épisode entre P.J. Stock, qui a notamment porté les couleurs du CH, et François Gagnon, autour des déclarations d'Alex Kovalev dans un magazine russe. À l'époque, Stock animait une émission à la station de radio Team 990. Il avait invité Gagnon à son show pour faire la lumière sur les propos du joueur étoile du Canadien. Gagnon avait alors affirmé qu'il détenait l'enregistrement des propos de Kovalev, ce qu'il devait nier par la suite à *110 %*, disant s'être mal fait comprendre à la station anglophone. P.J. Stock a donc été convié à l'émission de TQS pour clarifier la situation. L'ancien joueur a réussi une entrée fracassante, sortant de ses poches une cassette audio qu'il disait être le fameux enregistrement. Il a ensuite achevé Gagnon en utilisant le terme «journalisme 101» de manière très arrogante. Il n'en fallait pas plus pour jeter une dose supplémentaire d'huile sur un feu qui flambait déjà. «Je lui ai dit : "Tu veux le *tape*, mais tu ne l'as pas", se souvient Stock. Le débat est ensuite devenu personnel. François a critiqué ma façon de jouer au hockey. Je lui ai répondu que mes habiletés de joueur de quatrième ou cinquième trio étaient bien meilleures que les siennes. Il est très fier de ce qu'il fait et de son travail à *La Presse*, donc j'ai aussi attaqué son journal. C'était très adolescent comme insultes ! »

Stock soutient qu'aucune animosité n'a subsisté de ces échanges percutants. Les deux hommes se sont parlé et ils ont convenu que leurs propos avaient dépassé leur pensée. Après avoir partagé quelques bières et eu une bonne conversation, les couteaux ont été rangés. Sans surprise, Éric Lavallée a raffolé de ce dérapage et il a demandé à P.J. Stock de revenir à *110 %*. Comme les débats sur les joueurs francophones au sein du CH, ou sur la langue de prédilection du capitaine de l'époque constituaient des puits sans fonds pour l'émission, Stock a souvent été appelé à donner la vision des anglophones dans ces épineux dossiers. « C'était très difficile pour moi, car je ne suis pas francophone et je ne pense pas comme tel », dit celui qui a passé sa jeunesse à Dollard-des-Ormeaux, en banlieue ouest de Montréal, dans un univers unilingue anglophone. « Ma mère a toujours voulu que je suive des cours de français à l'école, poursuit-il. N'empêche, j'ai de la difficulté à comprendre les nuances dans cette langue. Personnellement, pour le Canadien, je me fous qu'un joueur soit noir ou blanc, chrétien ou juif. Ce qui compte, c'est que l'équipe soit la meilleure possible. La question des francophones à Montréal m'a longtemps frustré. Je ne suis pas capable de comprendre ça, mais j'ai appris à saisir qu'il s'agissait d'un sujet sensible. »

Avec de telles positions, pas surprenant que Stock ait multiplié ses apparitions à *110 %*. On a aussi beaucoup fait appel à lui lors des congédiements d'entraîneur du Canadien. Encore une fois, ses opinions tranchées sur l'importance (ou non) d'embaucher un coach maîtrisant la langue de Molière ont provoqué des étincelles sur le plateau de l'émission. « La priorité devrait être de dénicher le meilleur entraîneur disponible sur le marché et, s'il est francophone, c'est un bonus », tranche Stock. Même si ses propos ont sans doute choqué à plusieurs reprises les téléspectateurs francophones, ils ont été nombreux à aimer que l'ancien joueur fasse l'effort de débattre dans sa langue seconde.

Stock a aussi contribué à élargir l'auditoire de *110 %*. L'émission était souvent dénigrée sur les ondes de Team 990 ou de CJAD. On se plaignait de la cacophonie et des débatteurs qui passaient leur temps à discréditer le Canadien. L'arrivée de P.J. Stock a toutefois changé la donne. Le comédien Éric Hoziel, célèbre pour son rôle dans *Lance et compte*, était un habitué de *110 %* et il collaborait aussi à quelques shows à la radio anglophone. « Mitch Melnick de Team 990 disait que *110 %*, c'était des engueulades et du *bashing* de Tricolore, dit Hoziel. Son attitude a commencé à changer quand P.J. est arrivé à TQS. Même que Melnick a ensuite utilisé des extraits de *110 %* pour son émission de radio. » Ainsi, en mettant son grain de sel dans l'éternel débat linguistique, P.J. Stock a, en quelque sorte, contribué à rapprocher les deux solitudes.

Un autre dur à *110 %* : Morissette

Ayant fait d'Enrico Ciccone un débatteur régulier, TQS a recruté un autre ancien fier-à-bras du Canadien en 2003 : Dave Morissette. Il s'est présenté autour de la table de *110 %* avec ses 11 parties dans la LNH derrière la cravate, toutes disputées avec le Tricolore. Sa première participation n'a pas créé de commotion. « Ça n'a pas été un grand show », reconnaît-il. Il faut dire que Morissette, malgré sa courte carrière avec le CH, connaissait encore personnellement plusieurs membres de l'équipe montréalaise. Il craignait de se mettre à dos des joueurs en les critiquant. Il a donc peu parlé à sa première présence. « J'avais la perception que tu devais *bitcher* pour être bon dans ce show-là, et ça me faisait peur », confie-t-il. Après cette apparition sans grand éclat, Morissette n'a pas réintégré *110 %* avant deux ans. Entre-temps, il a préparé la sortie de son ouvrage-choc dans lequel il dévoilait avoir fait usage de stéroïdes et de substances stimulantes durant sa carrière. TQS l'a alors embauché pour participer à son émission matinale, ce qui a pavé la voie à son retour aux débats de fin de soirée. Beaucoup plus sûr de lui et ne côtoyant plus l'édition renouvelée des joueurs du Tricolore, il n'a plus craint de livrer le fond de sa pensée. « J'ai découvert une vraie belle gang, dit-il. Villeneuve et *Bergie* m'ont laissé la chance de parler et ils m'ont écouté. J'ai appris à placer mon mot dès que j'en avais l'occasion et on s'est tiré la pipe durant toute l'émission. » La majorité des débats traitant du Canadien, Morissette s'est rapidement taillé une place enviable au sein de l'équipe. Puis, en 2007, CKAC lui a offert l'animation de son émission matinale, confirmant son accession au prestigieux monde des commentateurs sportifs.

Marc Bureau : « le Monsieur de *110 %* »

La montée en puissance des *joueurnalistes* a modifié la perception des athlètes face aux shows de sports. Désormais, des anciens athlètes livraient leur version des faits et pouvaient corriger ou carrément réfuter, les propos des journalistes et autres spécialistes du sport. Néanmoins, la présence de ces ex-joueurs ne faisait pas l'unanimité parmi les hockeyeurs toujours actifs. Marc Bureau, qui a évolué 15 ans dans la LNH, dont 3 saisons avec le Canadien, a essuyé plusieurs critiques d'ex-coéquipiers. « Quand j'ai accepté, on me disait : pourquoi tu vas là », se souvient-il. À l'opposé de Ciccone qui se faisait le grand défenseur des joueurs, Bureau souhaitait plutôt faire profiter les partisans de sa vaste expérience. « Les gens qui paient 250 $ pour un billet ont le droit de connaître les vraies histoires, justifie-t-il. À *110 %*, je n'ai jamais lancé de rumeurs et j'ai toujours répondu aux questions posées. Ça ne fait pas toujours plaisir d'entendre la vérité, mais j'ai toujours été honnête. »

Son passage à l'émission culte de TQS a tellement été remarqué que les passants ont fini par l'appeler « le Monsieur de *110 %* » plutôt que « l'ancien joueur du Canadien ». Reconnu pour son travail acharné sur la glace, Bureau aimait aussi fermer le clapet des connaisseurs, lorsque venait le temps d'analyser le rendement des joueurs du Canadien. À l'instar des autres *joueurnalistes*, son arme ultime, bien qu'il évitait de s'en servir, demeurait la fameuse question : « As-tu déjà joué dans la LNH, toi ? » Un soir, devant l'insistance de Jean-Charles Lajoie, qui descendait les attaquants des trios inférieurs du Canadien, Bureau s'est emporté. « Il les avait traités de chaudrons, se rappelle-t-il. Pour avoir parlé à des joueurs, je sais qu'ils auraient aimé que Jean-Charles se présente dans le vestiaire après avoir dit ça. » Lajoie se serait même vu remettre une accréditation lui permettant de pénétrer dans le vestiaire des joueurs dans les jours suivant ces déclarations, mais selon Bureau, il a toujours refusé de s'y rendre.

Lors d'un autre débat, alors qu'Yvon Pedneault et Éric Hoziel le contredisaient, dur comme fer, au sujet d'un jeu précis, Bureau s'est permis de leur envoyer dans les dents sa phrase fétiche : « Êtes-vous allés souvent chercher la rondelle dans le coin de la patinoire ? » À la limite, Hoziel aurait pu se permettre de tenir tête à Bureau puisqu'il a joué au hockey toute sa vie, sans atteindre les rangs professionnels. Toujours très actif aujourd'hui, le comédien s'est d'ailleurs entraîné à quelques reprises avec des hockeyeurs québécois, notamment en 2005.

Hoziel a réalisé un rêve de jeunesse en prenant part aux débats de *110 %* avec certains personnages qu'il adorait, tels Michel Bergeron et Jean Perron. « Quand j'étais petit, je voulais devenir acteur, athlète, et je m'endormais tous les soirs en écoutant *Les amateurs de sport* », dit-il. Habitué à côtoyer de nombreux joueurs de hockey, Hoziel a perçu le malaise causé par sa participation à *110 %*. « Avant, des gars comme André Roy, Joël Bouchard ou Ian Laperrière se confiaient spontanément à moi. J'ai senti le besoin de leur dire que même si j'étais à *110 %*, je conservais mon intégrité et que jamais ce qu'ils me disaient ne se retrouverait en ondes. » À l'instar de P.J. Stock, qui a amené les anglophones à s'intéresser davantage à *110 %*, Éric Hoziel a rallié plusieurs membres du milieu artistique à la populaire émission. « Je connais plusieurs comédiens qui disaient ne rien connaître au sport, mais qui regardaient le show. »

Villeneuve : un *senteux de pet*

Parmi les histoires de *110 %* qui ont le plus choqué les anciens hockeyeurs figurent les fameuses images captées devant la résidence de José Théodore, à l'insu de ce dernier. Tous, sans exception, condamnent la méthode employée par Michel Villeneuve pour convaincre le public que le gardien de but était réellement blessé. Marc Bureau a parlé d'une conduite inexcusable. Enrico Ciccone a aussi sévèrement critiqué l'éthique de travail de Villeneuve dans cette affaire. Lors d'un débat, il a lâché : « Qui est l'épais qui a envoyé les caméras chez José ? » Ciccone n'a pas digéré la manière clandestine de tourner le reportage. « Une caméra cachée, c'est hypocrite, dit-il. C'était correct qu'il aille vérifier, mais de façon officielle, en cognant à la porte. J'avais traité Villeneuve de *senteux de pet* ce soir-là. »

Même plusieurs années après l'événement, Théodore l'a encore sur le cœur, comme il en a discuté avec Ciccone lors d'une récente conversation. « Il ne l'a toujours pas digéré », confirme ce dernier. Dave Morissette s'est montré plus tendre à l'endroit de Michel Villeneuve dans cette affaire, mais il aurait rué dans les brancards s'il avait été victime d'un tel subterfuge. « Comment José pouvait-il aimer ça ? demande-t-il. Je ne suis pas là pour le défendre, mais j'adore Villeneuve. Néanmoins, un joueur peut trouver ça difficile d'avoir une caméra dans sa cour… » De façon générale, Marc Bureau n'appréciait pas les débats portant sur la vie privée et les écarts de conduite hors glace des joueurs du CH. Il convient que certains gars ne s'aidaient pas, mais il tenait souvent à remettre les pendules à l'heure, notamment au sujet de Mike Ribeiro. « On lui a reproché de boire, mais, moi, j'ai entendu dire qu'il ne consommait pas d'alcool. »

Latendresse et les tapis rouges

Les joueurs du Canadien — surtout les francophones — qui éprouvaient des problèmes sur la patinoire se retrouvaient bien souvent la cible des débatteurs de *110 %*. Ceux-là n'appréciaient évidemment pas les critiques répétées à leur endroit. Guillaume

Latendresse y a particulièrement goûté. Dave Morissette est formel : l'ancien attaquant du Tricolore a durement été affecté par les propos de ses détracteurs. « C'est sûr que ça l'a perturbé d'entendre qu'il n'était pas rapide et qu'il devrait laisser tomber les gants plus souvent. » Morissette soutient s'être toujours fait un devoir de respecter les athlètes, même lorsqu'il critiquait leur manque d'effort. N'étant pas lui-même reconnu pour ses talents offensifs, ni pour sa vélocité, il avait déjà fait les frais de critiques négatives sur différentes tribunes médiatiques. Il se rappelle notamment les remarques peu flatteuses prononcées sur son compte à CKAC. « C'était la première fois que j'écoutais ce poste. Pierre Rinfret, qui animait un show à cette station, m'avait rencontré le matin en me félicitant de faire l'équipe. Mais quand il a parlé de moi, il a dit que mon coup de patin n'était pas le meilleur. C'était vrai, mais je ne voulais pas l'entendre parce que ça joue dans ton mental. » Morissette ne souhaitait donc pas régler de comptes avec des joueurs à *110 %*. Il se contentait de donner son opinion et de commenter. « C'est uniquement pour ça qu'on me payait », rappelle-t-il.

Règle générale, les anciens joueurs de hockey évitaient de s'embarquer sur le terrain glissant de la vie personnelle des athlètes à *110 %*. Sauf que les débats sur les frasques des sportifs à l'extérieur de la patinoire ont fait les beaux jours de l'émission. Le plus régulier des *joueurnalistes* — il a déjà participé à 98 débats lors d'une saison — Marc Bureau devait donc bien malgré lui analyser les comportements hors glace de certains joueurs, Latendresse en tête de liste. « Il a été échaudé, mais ça dépend de la vie que tu veux mener à Montréal. Moi, durant mes trois saisons ici, j'avais ma femme et mon fils avec moi, je ne me retrouvais pas dans les établissements… Guillaume aimait ça, sortir sur les tapis rouges avec sa conjointe ; c'est différent. » Enrico Ciccone déplore également le traitement subi par Latendresse. « Quand tout le monde criait Gui-Gui-Gui et voulait qu'il fasse le club à 18 ans, mois je disais : "Vous allez lui tomber dessus et dans cinq ans, il ne sera plus ici." » Ciccone avait vu juste, le jeune québécois a rejoint le Minnesota en novembre 2009, quatre ans après son arrivée avec le CH.

Tom Kosto-Fu*****Poulos

Au cours des dix années de *110 %*, il n'y a pas que les Québécois du Canadien qui ont fait les frais des débatteurs. Alex Kovalev et Saku Koivu viennent rapidement à l'esprit, quand on pense aux joueurs dont les moindres gestes et déclarations étaient scrutés à la loupe. Un autre hockeyeur, beaucoup moins connu, est également passé dans le tordeur dans un des épisodes les plus sombres de l'émission. Les fidèles se souviendront sans doute de Tom Kostopoulos, sympathique gaillard évoluant habituellement sur le troisième trio du Tricolore, que Michel Beaudry avait rebaptisé en s'emportant Tom Kosto-Fucking-Poulos. Traduit en français, le terme employé par Beaudry, bien que vulgaire, n'était jamais aussi péjoratif que dans la langue de Shakespeare. La déclaration a provoqué un tollé à l'ouest du boulevard Saint-Laurent, créant un remous sans précédent dans la communauté grecque, qui a exigé à TQS des rétractations publiques. En revenant chez lui, après le show, Beaudry se rendait bien compte qu'il avait dépassé les bornes. « Lavallée a dit que c'était bon, on avait ri, mais moi, je me disais quelle connerie. »

Sentant la soupe chaude, le chroniqueur a contacté Éric Lavallée le lendemain pour lui demander de ne pas passer l'extrait litigieux en boucle dans l'émission du soir, comme il avait l'habitude de le faire pour les commentaires les plus croustillants lâchés la veille. En après-midi, Beaudry a reçu un coup de fil de Bernard Brisset. Le directeur de l'information l'informait de la fin de sa collaboration à *110 %*. Ce soir-là, Jean Pagé a adressé des excuses officielles aux Grecs de Montréal. « J'ai trouvé ça d'une maladresse, dit Beaudry. Il n'y a jamais eu d'attaques contre la communauté grecque, d'autant plus que Kostopoulos est Ontarien et ne parle pas un mot de grec. Je me sentais comme un raciste, alors que j'entendais souvent à *110 %* que tous les Russes sont des pourris, ce qui est une vraie affirmation raciste. »

Michel Beaudry n'est jamais retourné à l'émission, bien qu'Éric Lavallée ait communiqué avec lui quelques mois plus tard. Il a eu l'occasion de s'expliquer sur les ondes radiophoniques de CJAD, à l'invitation de P.J. Stock. « J'ai trouvé que

TQS n'avait pas de classe de ne pas me permettre de m'excuser. Mais c'était mon erreur, et j'ai vécu avec. » Le traitement subi par Beaudry était-il disproportionné, quand on connaît le lot de bêtises et d'énormités prononcées au fil des saisons de *110 %* ? Michel Beaudry répond par l'affirmative, affirmant qu'on ne cherchait qu'un prétexte pour l'évincer du Mouton Noir.

Force est donc d'admettre que les hockeyeurs qui appréciaient le plus *110 %* étaient sans doute les francophones s'alignant pour d'autres formations que le Canadien ou les joueurs qui ne parlaient tout simplement pas français. Anecdote intéressante, lors de la finale d'association impliquant les Flyers et le Tricolore en mai 2009, on a su que le défenseur Chris Pronger regardait *L'antichambre* à RDS, bien qu'il ne parlait pas un mot de cette langue. « Dans leur chambre d'hôtel, les gars regardent la télé et, s'ils voient le logo de leur équipe et du monde qui discute, ils vont écouter, dit Dave Morissette. Ils ne comprennent pas, mais ils veulent savoir ce qu'on raconte sur eux. »

Des cachets modestes pour des joueurs de la LNH

La question des cachets remis aux anciens joueurs de la LNH devenus débatteurs à *110 %* doit susciter de nombreuses interrogations chez le public. Après avoir engrangé des centaines de milliers de dollars annuellement — rares sont les *joueurnalistes* qui ont été millionnaires dans leur carrière — les Morissette, Ciccone, Bureau et Stock se contentaient-ils du même salaire que ce qu'empochaient les journalistes et commentateurs ? Ils soutiennent tous ne pas avoir obtenu de traitement supérieur aux autres débatteurs. Marc Bureau confie qu'il gagnait autour de 300 $ par émission. « Seuls les gros bonnets obtenaient 400 $ par show, dit-il en riant. Mais moi, ce n'est pas pour l'argent que je faisais ça. Je roulais 250 kilomètres chaque soir pour participer à *110 %* (il demeure à Trois-Rivières). Après l'impôt, l'essence et l'usure de l'auto, il ne me restait pas grand-chose. J'étais passionné, alors ça ne me dérangeait pas. » Même son de cloche chez Ciccone. « Financièrement, je n'avais pas besoin de ça pour vivre », dit-il. Morissette et lui ont tout de même fini par délaisser *110 %*, le premier pour RDS et éventuellement *L'antichambre*, le second pour *La zone* à Radio-Canada. Dans les deux cas, les cachets étaient supérieurs.

Tous deux se défendent toutefois d'avoir quitté TQS pour des motifs pécuniaires. « Ce n'est pas juste de dire que je suis parti à cause de ça, dit Ciccone. Au début, j'allais à *110 %* pour aider mes chums de hockey, puis c'est devenu un nouveau métier et j'ai voulu devenir meilleur. » Il ajoute : « J'ai hésité à partir parce que je lâchais une gang avec qui j'avais travaillé durant sept ans. Éric et Jean étaient devenus des amis. En même temps, *La zone*, c'était plus poli, tu pouvais laisser l'autre parler. » Dave Morissette soutient, lui aussi, avoir toujours agi avec loyauté pour TQS. Ce n'est toutefois pas l'avis d'Éric Lavallée. Le producteur délégué de *110 %* prétend que l'ex-dur à cuire du Canadien lui avait mentionné qu'il ne le laisserait jamais tomber. Pourtant, Morissette a accepté une offre de RDS avant même que *L'antichambre* ne soit lancée. « Je suis parti pour être analyste à RIS (la chaîne de nouvelles en continu du Réseau des sports), explique-t-il. Après, ils m'ont demandé d'être exclusivement lié à eux. Ça devenait impensable de poursuivre à TQS. »

Morissette admet que le Mouton Noir a proposé de lui confier davantage de responsabilités dans ses émissions. Pour le bien de sa carrière, il a toutefois opté pour le canal 33. « Dès que j'ai eu l'appel de RDS, j'ai contacté Éric, un gars qui m'a beaucoup aidé. On avait une belle complicité. Ça m'a fait mal au cœur, mais ce n'était pas une question d'argent. » Ne souhaitant pas dévoiler son salaire à *L'antichambre*, Morissette dit seulement être « bien payé et ne jamais courir après son argent ». Même s'il évolue pour un réseau concurrent, jamais il ne reniera son passé. Il remercie d'ailleurs Éric Lavallée d'avoir cru en lui. Il est bien conscient que si on l'accoste aujourd'hui par son nom dans la rue, c'est grâce à *110 %* avant tout. « L'impact sur ma visibilité a été immédiat. Tellement de personnes nous écoutaient. Ou les messieurs nous regardaient ou les dames forçaient leur homme à le faire. C'est une vraie référence et je vais toujours être fier d'avoir débuté là. »

Chapitre 7

L'homme à tout faire, François Gagnon

Le reporter trop émotif

Journaliste d'expérience et commentateur articulé, François Gagnon a contribué à donner à *110 %* ses lettres de noblesse. Collaborateur régulier de l'émission, véritable encyclopédie du monde du hockey, il a rapidement conquis les téléspectateurs. Doté d'un franc-parler et d'une émotivité taillés sur pièce pour les débats, Gagnon représentait l'une des figures de proue de l'émission. Reconnu pour ses prises de bec célèbres avec Gabriel Grégoire et P.J. Stock, mais aussi pour la triste attaque à bout portant contre Jean Perron, l'actuel journaliste en charge de la couverture du Canadien au quotidien *La Presse* n'a jamais hésité à dire tout haut ce que plusieurs pensent tout bas.

À titre d'exemple, alors que j'insérais une cassette toute neuve dans l'enregistreuse en remplacement de celle qui précédait et qui contenait l'interview avec Jean-Charles Lajoie, il affirme sans détour : « Jean-Charles Lajoie est-il aussi interviewé pour ce livre ? Oui ? S'il est dans ton livre, je pense que je vais m'en aller. Je ne collabore pas avec ce moins que... Il est une des raisons pour lesquelles *110 %* a piqué du nez, c'est épouvantable ! » Réalisant la portée de son envolée et la calomnie de son propos, il se calme rapidement et retrouve son habituel ton de voix posé. D'ailleurs, François a la réputation d'être très émotif et spontané. À preuve, en janvier 1988 — il n'avait alors que 24 ans — il n'a pas hésité un seul instant à secourir une femme en détresse, vouée à une mort certaine, dont la voiture venait de plonger dans les eaux froides de la rivière Gatineau. Ce geste héroïque lui vaudra éventuellement une médaille fort méritée dont il ne parle pas, par humilité sans doute.

Sa capacité à s'emporter vivement en un tournemain a fait sa renommée, pour le meilleur, comme on vient de le voir, et pour le pire. François Gagnon garde un douloureux souvenir de ce soir de mai 2002 où Pierre Rinfret et lui sont tombés à bras raccourcis sur Jean Perron. «Jean a fait une montagne de controverse sans même aller vérifier à la source ce qui se passait réellement», affirme François Gagnon, qui regrette néanmoins la violence de son assaut verbal sur Perron.

« Moi, je suis journaliste depuis 20 ans, poursuit-il et je me bats depuis des années pour rapporter des faits crédibles. Toutes les stations de radio et de télé ont galvaudé ses propos durant la journée. Ils ont bâti du vent avec du vent, ça n'avait aucun sens. J'étais frustré de voir l'ampleur qu'une fausse nouvelle avait prise. Quand je suis arrivé en ondes à *110 %* le soir, Jean n'a même pas eu le temps d'ouvrir la bouche que je suis tombé dessus. Pierre Rinfret, beaucoup plus proche de Therrien que je ne l'étais, est arrivé avec des munitions plus nombreuses et il a attaqué Jean sur un autre front. Sur le fond, j'agirais de la même manière demain matin, mais, sur la forme, ça a été épouvantable. »

Gagnon allait recevoir dans les jours suivants des centaines de courriels hargneux soulignant son attitude grossière et humiliante.

Lorsque François Gagnon s'assoyait autour de la table de *110 %*, son attitude de redresseur de torts le motivait la plupart du temps. Fier de son statut de journaliste qui lui permettait d'aller au fond des choses, Gagnon avait la prétention d'argumenter uniquement avec des faits rationnels et défendables. Ce qu'il réussissait bien souvent à accomplir. Bien sûr, l'émotion des débats l'amenait parfois ailleurs, hors des sentiers de la logique implacable dans lesquels il se targuait d'évoluer.

Ce fut le cas à l'automne 2005, alors que l'Université McGill s'est retrouvée dans l'embarras à la suite des révélations troublantes d'une recrue des Redmen, l'équipe de football de l'institution, qui affirmait avoir été sodomisée lors de son initiation avec la formation. Les dires de l'étudiant n'ont jamais pu être confirmés, mais cette nouvelle, pour le moins surprenante, a apporté de l'eau au moulin de *110 %* qui a pu délaisser quelques jours le début de saison du Canadien pour faire le point sur le football universitaire. Et qui dit football dit Gabriel Grégoire. C'est avec cet autre drôle de moineau de *110 %* que François Gagnon a laissé une autre fois ses émotions prendre le dessus de façon spectaculaire. La nouvelle de l'initiation controversée a fait rage à la mi-septembre après que le jeune joueur eut porté plainte. Éric Lavallée a vite flairé le potentiel d'un tel rebondissement. Le soir même de la médiatisation de l'affaire, il convie Gagnon et Grégoire sur le plateau de *110 %*.

Avant d'entrer en ondes, le journaliste de *La Presse* tente de se maîtriser. Il sait d'ores et déjà que son opposant défendra l'entraîneur des Redmen, Chuck McMann, et il veut à tout prix éviter que la frustration n'altère ses propos et son jugement. Sauf qu'il connaît bien Lavallée : « C'est là qu'entrait en compte l'intelligence de ce producteur, dit Gagnon. Je lui en ai voulu parfois, parce que je savais où il s'en allait. Il voulait me faire dire certaines choses et il réussissait. » De fait, les échanges entre les deux débatteurs s'orientent rapidement sur le rôle du coach de McGill. Gabriel Grégoire, un ancien footballeur des Alouettes, se range derrière l'entraîneur et justifie l'importance des rites d'initiation pour les recrues. Le ton grimpe progressivement jusqu'à en devenir cacophonique. « Gabriel se faisait le grand défenseur de la veuve et de l'orphelin, celui qui prend toujours la position inverse. Ce soir-là, il n'acceptait pas que les gens soient contre McMann, son mentor et ami qu'il respectait au plus haut point. Je me frottais les mains, parce qu'il était pris à son propre jeu, lui qui faisait toujours subir ce traitement à ceux qu'il n'aime pas. » Il faut dire que les propos défendus par Gabriel Grégoire ne laissaient personne indifférent. « Quand il partait sur un sujet, on recevait souvent 200 courriels le lendemain », se souvient Bernard Brisset, ex-directeur de l'information de TQS.

De l'aveu de François Gagnon, il s'en est fallu de peu pour que les deux protagonistes n'en viennent aux coups après le débat. « S'il n'avait pas porté de plâtre parce qu'il avait été opéré à la jambe, je lui sautais dessus, et Éric n'aurait même pas pu nous en empêcher », confie le reporter, pour qui ce genre de scènes illustre bien le climat de tension bien réelle qui se dégageait du plateau. « J'ai déjà vu une fille dans la régie pleurer suite à une émission où les propos avaient été particulièrement intenses et virulents », ajoute-t-il.

La majorité des fameuses disputes entre François Gagnon et les collaborateurs de *110 %* sont survenues lorsque le reporter a senti le besoin de jouer au justicier en pourfendant ses adversaires qui, disait-il, colportaient des rumeurs. Grand défenseur de la crédibilité des sources, Gagnon s'est également montré impitoyable à l'égard de ceux qui osaient remettre en question la véracité des articles de *La Presse*. Un exemple notoire est survenu en mars 2007, lorsqu'Alex Kovalev a fait la manchette pour les mauvaises raisons. L'ailier du Canadien connaissait une séquence particulièrement pénible en attaque et l'équipe accumulait les défaites. Le 4 mars, le journaliste Mathias Brunet a publié dans le quotidien de la rue Saint-Jacques un texte dans lequel il rapportait des propos incendiaires de l'Artiste.

Kovy s'était confié quelques jours auparavant à une station de son pays, affirmant que l'entraîneur du Tricolore, Guy Carbonneau, n'appréciait pas le travail des joueurs russes, qu'il traitait différemment des francophones. *La Presse* tenait entre ses mains une bombe exclusive qui allait faire exploser les tribunes téléphoniques sportives. Tous les médias ont repris la nouvelle en boucle et bien sûr, *110 %* n'a pas fait exception. Le soir même, François Gagnon se retrouve à débattre du sujet de l'heure en compagnie, notamment, de l'ex-hockeyeur du Canadien, P.J. Stock. Avec le ton fendant et le sourire narquois qui le caractérisent, l'ancien joueur affirme dans son français cassé que *La Presse* « est dans le champ » avec cet article.

Même si ce n'est pas Gagnon qui a rapporté les dires de Kovalev, il s'emporte violemment, comme un père sentant le besoin de défendre son fils. « P.J. mettait en doute ce qui avait été écrit dans *La Presse*, raconte le reporter. Il a attaqué mon journal en disant qu'il était tout juste bon pour que son chien fasse ses besoins dessus. Il était fier de son coup et ça a dégénéré. Il est parti vite après le show, mais, si on s'était croisé sur le trottoir après, je ne sais pas ce qui serait arrivé. »

Bien qu'épiques, ces engueulades ne constituent pas le souvenir le plus impérissable que Gagnon associe à *110 %*. Au-delà des confrontations verbales, ce sont surtout les nombreux commentaires élogieux reçus quotidiennement au sujet du caractère bon enfant de l'émission qui l'ont particulièrement marqué. « Les plus belles remarques ne concernaient pas les chicanes, note-t-il. Les propos qui m'ont fait le plus plaisir, c'était d'entendre un universitaire, un médecin ou un travailleur de la construction me dire : "On vient finir la journée du bon pied avec vous." » À ce propos, un running gag a longtemps circulé entre les réguliers de l'émission à l'effet que les gens terminaient leur soirée de façon agréable avec *110 %* et commençaient tout aussi gaiement leur nuit avec… *Bleu nuit*. L'émission érotique était alors mise en ondes tout de suite après la quotidienne de débats.

Une réelle émission culte

François Gagnon ne voit aucun problème à classer *110 %* parmi les émissions fétiches qui ont réalisé l'exploit enviable de rejoindre toutes les couches de la société. Il va même jusqu'à comparer la popularité de *110 %* à celle générée par… Rock et Belles Oreilles. « Chaque époque a eu un programme culte, dit-il. Il y eut, par exemple, *La ligue du vieux poêle*, *La bande des six*, *RBO*… Ceux-là nous ont même parodiés une fois. Je suis convaincu qu'autant de gens adoraient et détestaient l'émission. »

Pour Gagnon, *110 %* a malheureusement fini par être victime de son succès. Galvanisé par les succès traduits en cotes d'écoute record lors des confrontations verbales les plus magistrales, Éric Lavallée a graduellement fait appel à des débatteurs misant sur un style spectaculaire plutôt que sur un contenu pertinent. C'est du moins la vision du journaliste de *La Presse*. «J'ai souvent entendu la direction dire : "Oui, mais on fait un show", confie-t-il. Je m'excuse, mais, s'ils voulaient faire du spectacle, ils auraient dû embaucher des comédiens. Moi, je suis journaliste et j'allais à *110 %* pour défendre des positions que je croyais fondées et raisonnées. Avec les années, l'émission a invité de plus en plus de gens qui préféraient dire des sottises, alors je suis parti. » Le reporter a effectivement été recruté par *L'antichambre* en 2008. Un choix judicieux puisque tant *La zone* que *L'attaque à 5* se sont terminées au printemps 2010. Des trois quotidiennes de débat, seule *L'antichambre* a survécu.

François Gagnon est désormais associé à *La Presse* et à RDS, où il commente maintenant l'actualité durant les inter-missions des matchs, mais on l'aborde encore souvent en lui rappelant ses belles années à *110 %*. Celui qui a piloté l'émis-sion durant deux étés d'affilée s'attriste d'ailleurs de la dispari-tion de l'ex-émission phare du Mouton Noir. «Ça a déjà été un show divertissant et informatif, dit-il. Mais au fil des années, c'est tombé dans le vaudeville. C'est malheureux que ça ait dérapé à ce point, parce que *110 %* était la pierre angulaire du sport à la télévision. »

Il faut dire que, dans ses dernières années d'existence, TQS se maintenait pratiquement sur le respirateur artificiel. Seul Jean-Luc Mongrain permettait à la station d'engranger des reve-nus. En soirée, les cotes d'écoute du bulletin de nouvelles étaient faméliques, se rappelle François Gagnon. «Les journa-listes faisaient des miracles pour attirer environ 35 000 per-sonnes. Il n'y avait rien d'autre à ce poste-là que des reprises et des mauvaises séries traduites. » Tel le village d'Astérix dans une Gaule occupée par les Romains, seule l'émission de *110 %* résistait à l'envahisseur et parvenait à captiver une moyenne de 200 000 personnes les soirs où les débats portaient sur le hockey.

Jean-Charles Lajoie personnifie à lui seul le côté «vaude-ville» progressivement emprunté par *110 %*, d'après François Gagnon. À son arrivée sur le plateau de l'émission, deux ans après avoir triomphé en 2006 à CKAC dans un concours d'animateurs de radio inspiré de la téléréalité, Lajoie s'est immédiatement attiré les foudres de plusieurs collaborateurs de la quotidienne en exigeant un cachet plus élevé que ceux-ci.

Le cachet moyen tournait autour de 250 $ par soirée. Sauf que Jean-Charles Lajoie estimait valoir davantage. «Après sa toute première émission, il voulait plus d'argent parce qu'il se jugeait plus gros et plus important, se rappelle François Gagnon. Il est arrivé dans le show en disant qu'il allait montrer à tout le monde comment débattre. Mais ce n'est qu'un clown qui produit du vent.» Quoi qu'en pense Gagnon, Jean-Charles Lajoie a beaucoup plu à Éric Lavallée et à la direction de TQS, qui n'ont cessé de retenir ses services par la suite. Sa présence de plus en plus fréquente a toutefois irrité François Gagnon, qui a choisi de se retirer de *110 %* après avoir tenu la barre de l'émission pour un deuxième été consécutif, en 2008. «Quand j'étais animateur, au début, je voulais l'avoir autour de la table parce qu'il donne un bon show. Sauf qu'il tombait trop souvent dans le vaudeville. Je lui ai dit que s'il était prêt à arrêter de dire des âneries et qu'il appuyait ses propos de faits argumentés, il avait sa place dans l'émission. Ça ne s'est pas produit.»

L'idée d'inclure des courriels et des appels de téléspectateurs dans la quotidienne a aussi précipité le départ de Gagnon. Un soir d'été, en 2008, le journaliste rentre chez lui particulièrement mal à l'aise. La direction de *110 %* vient de lui annoncer que le public jouera un rôle dans l'émission. Comme les vacances battent leur plein et que l'auditoire s'en trouve diminué, les patrons de *110 %* se sont dits prêts à faire écrire de faux courriels et à produire des appels bidon. «On m'a dit que les recherchistes pouvaient rédiger des *e-mails* et que quelqu'un, dans la régie, pouvait passer un coup de fil si personne ne se manifestait durant l'émission, se rappelle-t-il. Moi, je ne travaille pas comme ça. Ça fait 20 ans que je suis reporter et que je me bâtis une crédibilité. Je ne pouvais pas accepter ça.» En rentrant chez lui après l'animation de *110 %*, sa décision est prise. Il annonce à sa femme qu'il ne sera pas de retour à *110 %* à l'automne suivant. Selon ses dires, RDS ne l'avait pas encore approché à ce moment. Quelques mois plus tard, il se retrouvera dans les fauteuils de *L'antichambre*.

Payant de parler de hockey

Pendant ses 11 années d'existence, l'équipe de *110 %* a tout tenté pour conserver son auditoire. Comme celui-ci vit pour le hockey et son club chéri, la direction de l'émission a fait le pari de miser presque exclusivement sur du contenu relié au sport national des Québécois. Dans une optique de rentabilité, peut-on réellement critiquer cette décision de favoriser les débats traitant du Canadien au détriment d'autres sports ? À ce sujet, François Gagnon se remémore son premier passage à la quotidienne. Le journaliste a d'abord considéré négativement l'émission, avant qu'il n'y soit invité, quelques mois après les débuts de *110 %*, à l'automne 1998. « Je me souviens de la première fois que j'ai regardé le show, dit-il. Une nouvelle majeure concernant le Canadien avait été diffusée dans la journée, mais Paul Rivard avait plutôt présenté à *110 %* un long *feature* sur le Super Motocross. Ça n'avait tout simplement pas sa place dans l'actualité quotidienne. Moi, je voulais entendre parler de la nouvelle du jour. Je trouvais que c'était une folie de parler de motocross ce soir-là. » Quelques mois plus tard, l'émission allait être réduite à un format de 30 minutes en plus d'intégrer une formule de débats.

Évidemment, *110 %* a toujours fait ses choux gras des hauts et des bas du Canadien. La raison est évidente. Comme le dit le slogan, *la ville est hockey* 365 jours par année. Durant les longs mois d'été, Éric Lavallée se creusait les méninges pour provoquer les débatteurs entre eux, malgré la minceur de l'actualité dans le hockey. En juin, les jours entourant le repêchage constituaient une bénédiction, se rappelle Gagnon. « C'est simple, la cote d'écoute justifie l'existence des réseaux privés. À titre d'animateur, la première émission que j'ai faite l'été portait sur le repêchage, et on a fait 220 000. Le lendemain, on parlait de baseball, et on est tombé à 39 000. Notre producteur nous rappelait qu'il avait des salaires à payer et que les débats sur le vélo ou le soccer ne suscitent malheureusement pas d'émotivité chez les téléspectateurs. »

« *110 %* était plus que Villeneuve »

Si Michel Villeneuve aime à s'attribuer 100 % du succès de *110 %*, François Gagnon se fait un malin plaisir à ramener sur terre celui qu'il considère comme un ami en dehors du travail. « Michel ferait pâlir d'humilité Narcisse [1] », illustre avec cynisme le journaliste. Gagnon hausse le ton quand on lui rappelle que Villeneuve prétend avoir inventé le concept de la quotidienne de TQS. « C'est complètement faux, martèle-t-il. L'idée existait avec *La ligue en question*, à RDS. Dans les faits, *110 %* était beaucoup plus la création d'Éric Lavallée que celle de Michel. » Ainsi, au dire du reporter de *La Presse*, et contrairement à ce qu'aime soutenir Michel Villeneuve, le départ de ce dernier pour *La zone* à la SRC n'a pas occasionné le déclin de *110 %*. L'arrivée des émissions compétitrices sur les autres réseaux a davantage nui, selon Gagnon. RDS et Radio-Canada offraient premièrement des cachets beaucoup plus généreux que ce que le Mouton Noir pouvait se permettre. La plupart des réguliers de *110 %* sentaient également l'eau chaude, avec tous les déboires que connaissait TQS. « On a tous senti que l'émission allait mourir à un moment donné, confie Gagnon. On a été prévoyants en protégeant nos arrières et en regardant ailleurs ce que les autres stations nous offraient. »

Radio-Canada a allongé « un pont d'or » pour attirer chez elle Michel Villeneuve, confirme François Gagnon. Le principal intéressé a nié les chiffres, mais des rumeurs ont filtré, voulant que la société d'État ait attribué à l'ancienne vedette de TQS un contrat de trois ans d'un montant évalué à un million de dollars. L'entente entre les deux parties est arrivée à échéance au printemps dernier et la SRC a alors décidé que *La zone* ne serait plus diffusée à l'automne 2010. « Michel ne pouvait pas refuser cette offre-là, croit Gagnon. Sa carrière est réglée et l'avenir de ses enfants est assuré. Ça ne m'empêche pas de dire qu'il est arrivé à Radio-Canada pour faire un job qui n'était pas le sien.

---

1. Note de l'éditeur : Narcisse, nom d'un beau bonhomme de la mythologie grecque qui, voyant son reflet dans l'eau, tomba amoureux d'une telle merveille et en mourut.

Il a fait le mauvais choix, car il est meilleur débatteur qu'animateur, sauf que je le traiterais aussi de cave s'il avait refusé l'offre. Mais ça, c'est un autre dossier.»

S'il donne aisément son avis sur son ami Michel Villeneuve et sur celui qu'il qualifie de «montagne de vent» — Jean-Charles Lajoie — Gagnon se montre plus hésitant à critiquer le travail des autres débatteurs de *110 %*. Autant Villeneuve n'hésite pas dans ces pages à varloper la quasi-totalité des collaborateurs de l'émission, autant Gagnon fait davantage preuve de réserve face à ses collègues, comme s'il craignait de se les mettre à dos. À force d'insister, il finit néanmoins par se livrer. Il attribue ses meilleures notes à Michel Bergeron, celui, dit-il, que «tout le monde aime». Son charisme et son côté glamour en ont fait une vedette cadrant à merveille dans *110 %*. Côté débat, ce n'est toutefois pas le meilleur, nuance le journaliste. «Plus tu le côtoies, plus tu l'aimes, mais tu réalises qu'il se contredit et sort toujours les mêmes rengaines, dit-il. Ce qu'il a affirmé hier ne tient plus aujourd'hui. Ça n'a pas empêché les amateurs de hockey de se retrouver en lui.»

Le discours change quelque peu lorsqu'il s'attarde sur le cas de Jean Perron. Pour Gagnon, l'ex-entraîneur du Canadien dégage une impression de grande vulnérabilité. «C'est pour cette raison que je n'aurais pas dû taper dessus, confesse le reporter de *La Presse*. Il m'a toujours fait penser au petit gars qui se fait taxer dans la cour d'école. Tu as envie de le prendre sous ton aile pour le protéger. Voilà pourquoi il allait chercher la sympathie des téléspectateurs.» Jean Perron a toujours fait preuve d'une grande sensibilité. N'allez pas croire que tout ce qui se disait et s'écrivait à son sujet — à commencer par les fameux *perronismes* — ne l'atteignait pas. Quand Gagnon et Rinfret l'ont vilipendé durant de longues minutes, le fameux soir de mai 2002, quelque chose s'est brisé en lui, estime celui qui a initié l'attaque verbale. «Ça l'a blessé, c'est sûr, mentionne François Gagnon. La première fois qu'on s'est retrouvés à nouveau tous les deux, un certain temps après l'événement, je lui ai offert mes excuses durant l'émission.» Entre les branches, le bruit a longtemps couru, voulant que les remords exprimés par le journaliste n'avaient pas suffi à Jean Perron. Gagnon nie néanmoins s'être excusé du bout des lèvres.

Son opinion de Pierre Rinfret peut surprendre, puisque ce dernier est loin de faire l'unanimité dans le milieu des médias sportifs. D'aucuns lui reprochent sa complaisance et son manque d'esprit critique. Gagnon le trouve plutôt intéressant et pertinent, ajoutant même qu'il « gagne à être connu ». Sa voix bourrue expliquerait peut-être l'antipathie du public à son égard, croit le reporter. Au sujet d'Éric Hoziel, François Gagnon se montre flatteur. « Un frappeur de relève très aimé des téléspectateurs », affirme celui qui déplore toutefois le côté partisan du comédien.

Le reporter ne se montre pas très tendre à l'endroit de Serge Amyot. Il désapprouve sa tendance à toujours provoquer en adoptant la position contraire à la logique. « Si tu es prêt à dire que Réjean Houle est le meilleur DG de l'histoire du Canadien, tu dois t'attendre à ce que tes propos reviennent contre toi », illustre-t-il. Gagnon classe ce débatteur dans le même enclos que Jean-Charles Lajoie, Michel Girouard et Ti-Guy Émond. À petite dose, leur présence allégeait *110 %*, mais leur surexposition a tranquillement drainé la substance et le contenu de l'émission. Un triste constat qui pourrait bien expliquer la disparition de la quotidienne des ondes.

Chapitre 8

Trois journalistes de l'écrit

La rigueur… vraiment ?

Au fil des années, *110 %* aura offert une énorme visibilité aux chroniqueurs sportifs de la presse écrite. Outre Réjean Tremblay, déjà bien implanté dans le milieu télévisuel, Bertrand Raymond et Marc de Foy du *Journal de Montréal* se sont révélés au public par le biais de la quotidienne. Avec leur confrère François Gagnon, les trois journalistes ont fait partie de l'équipe régulière de *110 %*, à un moment ou l'autre. Ils sont donc suffisamment apparus à l'émission pour être identifiés à l'émission phare de TQS aux yeux du public. C'est sans doute Marc de Foy qui a le plus bénéficié du rayonnement de *110 %*. Même s'il écrivait depuis de nombreuses années, la majorité de ses lecteurs ne voyait de lui que la minuscule photo ornant sa signature. « Ça m'a donné une visibilité que je n'avais pas eue en 20 ans de couverture du hockey, raconte le journaliste, en lock-out au *Journal de Montréal* au moment d'écrire ces lignes. On m'a même déjà reconnu à Ottawa, où un commerçant m'a parlé de mon rôle à *110 %*. »

La présence de ces trois spécialistes du sport sur le plateau de *110 %* visait essentiellement à apporter une plus grande rigueur au concept. Bien sûr, les téléspectateurs raffolaient des déclarations à l'emporte-pièce de Gabriel Grégoire et de Ti-Guy Émond, mais la direction de l'émission a progressivement décidé de faire appel à des reporters et chroniqueurs respectés des téléspectateurs pour asseoir davantage la crédibilité du

show. Réjean Tremblay aime d'ailleurs à rappeler qu'il participait à l'émission à ses tout débuts, alors que les débats qui ont
fait la renommée de *110 %* ne figuraient pas encore au programme. Le chroniqueur ne garde toutefois pas souvenir du soir
où il avait été appelé à défendre son point de vue sur les initia-
tions dans le football universitaire avec Gabriel Grégoire et
Michel Villeneuve. Ce dernier atteste que Tremblay avait pris la
poudre d'escampette en apercevant Grégoire, qui semblait déjà
particulièrement furieux avant le début de l'émission. Sa vision
de l'ancien joueur des Alouettes pourrait expliquer pourquoi le
columnist de *La Presse* avait quitté le plateau ce soir-là :
« Gabriel était perçu comme un terroriste au début de *110 %* »,
affirme-t-il sans détour.

Le chroniqueur Bertrand Raymond, aujourd'hui éditeur au
RDS.ca, n'embarquait pas dans les grandes envolées verbales
tant prisées du public. Il misait davantage sur sa notoriété et son
expérience lorsqu'il prenait place dans le studio de *110 %*. « La
chicane n'est pas vraiment mon style, mais je pouvais frayer
dans cet univers-là », affirme le journaliste et membre du
Temple de la renommée du hockey. Raymond s'y plaisait au
point qu'il a rapidement paraphé un contrat d'exclusivité avec
TQS, dès les débuts de l'émission. L'arrivée de Gabriel Grégoire
allait toutefois changer la donne. L'enfant terrible du football
canadien était initialement vu comme « le bon joueur canadien-
français de la LCF », au dire de Bertrand Raymond. Une perception qui fait long feu. « Le premier soir où on s'est retrouvé
ensemble, il a mis son poing sur la table et a commencé à planter les journalistes, surtout Réjean et moi. Je me suis demandé
d'où il sortait. J'avais l'impression que tout était planifié,
comme s'il avait dit précédemment à Lavallée : "Si tu me prends
sur le show, je vais descendre les médias." »

Témoin privilégié de cet esclandre, Paul Rivard regardait la
scène avec amusement, réalisant que les propos intempestifs
donnaient inévitablement un bon show. « Gabriel était un coup
de foudre pour l'équipe de *110 %* », se souvient le premier animateur de l'émission. Bertrand Raymond, lui, n'a vraiment
pas digéré l'attitude passive de Rivard devant la démesure de

Grégoire. « Ça m'a choqué parce que Paul regardait Gabriel nous planter, et je voyais un pétillement dans son œil, dit-il. Il trouvait ça vraiment drôle. J'ai toujours pensé qu'on invitait les journalistes pour donner de la crédibilité à un show qui partait dans toutes les directions. En même temps, on permettait à un gars sorti de nulle part de nous ramasser en direct et on trouvait ça rigolo. »

Très bien établi dans le milieu des médias, Bertrand Raymond a finalement jugé que les 350 $ qu'il recevait par soirée à *110 %* ne valaient pas les attaques répétées de Gabriel Grégoire. Quelques jours après sa confrontation avec l'ex-joueur des Alouettes, le chroniqueur s'est rendu dans le bureau d'Éric Lavallée pour lui signifier sa façon de penser. « Je lui ai demandé une faveur, se souvient-il. En termes clairs, je lui ai dit : "Si Grégoire est là, ne m'appelle plus jamais pour ton émission." Même si je venais de signer un contrat qui me garantissait un meilleur cachet, je n'avais pas besoin de quelqu'un comme Gabriel Grégoire dans ma vie. »

L'animosité entre les deux avait dû atteindre un paroxysme, puisque Raymond adorait la visibilité que lui procurait *110 %*. Mais de là à se faire vilipender lui-même ou voir un confrère connaître le même sort, il y avait une marge. À tel point qu'il a cru bon de servir un avertissement à François Gagnon, après une émission où ce dernier était passé dans le tordeur de Michel Villeneuve. Ce dernier avait dit à Gagnon : « Écoute ce que je vais dire, ensuite tu auras l'air intelligent. » « J'ai alors demandé à François s'il avait tant besoin d'argent pour endurer de se faire donner de la merde par Villeneuve, confie Bertrand Raymond. Mais il voulait conserver sa notoriété et, surtout, il voulait que *La Presse* sache qu'il était en demande. »

Si Gagnon aimait mousser son image publique grâce à *110 %*, l'appel de l'argent a sans doute fini par faire son œuvre. Le journaliste de *La Presse* soutient dans ces pages avoir pris la décision de laisser tomber son poste après son deuxième été à l'animation de l'émission, avant même d'avoir reçu une offre de RDS. Réjean Tremblay, bien au fait des cachets et salaires octroyés dans le milieu télévisuel, affirme que Gagnon s'est fait offrir 96 000 $ annuellement pour apparaître dans les matchs du Canadien et à *L'antichambre*. Une proposition qu'il ne pouvait refuser et qui tombait à point, étant donné que *110 %* se trouvait en perte de vitesse. Pour les amateurs de chiffres, mentionnons également que les cachets offerts au Mouton Noir étaient inférieurs à ceux alloués à *La zone*, eux-mêmes étant moins généreux que ceux de RDS. Cela explique en partie pourquoi la majorité des débatteurs vedettes de TQS ont éventuellement fait le saut au Réseau des sports.

TQS a créé un culte

Collègue de Gagnon au quotidien de la rue Saint-Jacques, Réjean Tremblay carburait lui aussi à la visibilité. Après son passage à *110 %*, il a paraphé une entente d'exclusivité à *La zone*, à la SRC. Tremblay ne s'est toutefois pas aventuré du côté de *L'antichambre* à RDS, à l'exception de quelques rares occasions. Peut-être est-ce dû au fait qu'il n'a pas collaboré au talk-show de fin de soirée de RDS, mais Tremblay a rapidement levé le nez sur l'émission du canal 33. « Ce n'est qu'un faire-valoir du Canadien, affirme-t-il. Tous ceux qui participent à *L'antichambre* sont des amoureux du CH qui ne critiquent jamais leur club chéri. » Bertrand Raymond n'a d'ailleurs jamais compris pourquoi son homologue de *La Presse* s'en prenait autant au Réseau des sports, sa cible favorite étant sans contredit Benoît Brunet, qu'il écorche régulièrement dans ses chroniques. « Il se fait un plaisir de les planter et il ne rate pas une occasion de les ramasser, pourtant il est chum avec Gerry Frappier [le grand patron de RDS]. »

Seuls Bertrand Raymond et Réjean Tremblay — dans une moindre mesure — figurent parmi les rares personnalités à avoir participé aux débats de fin de soirée des trois réseaux concurrents. Pour sa part, François Gagnon demeure toujours associé au Mouton Noir pour une bonne partie du public, même s'il œuvre à RDS depuis près de trois ans. Idem pour l'animateur Jean Pagé, qui a pourtant passé un quart de siècle à la société d'État avec l'équipe de *La soirée du hockey*. Lorsque Pagé et Tremblay se baladent à moto, une de leur passion commune, durant la saison estivale, la quasi-totalité des gens qui les apostrophent les associent toujours à TQS. Réjean Tremblay raconte à ce sujet : « Il ne fait aucun doute que *110 %* est une émission culte. Qu'on roule en moto à Gaspé ou à Sainte-Marie de Beauce, les gens viennent nous voir et disent à Jean : "Maudit que c'est bon, *110 %*." Personne ne se souvient qu'il a animé les Jeux olympiques et le hockey pendant bon nombre d'années. » Même s'il écrit dans les pages de *La Presse* depuis plus de 35 ans, Tremblay est aussi souvent perçu davantage comme un membre à part entière de la grande famille de *110 %*, où il n'a débattu que quelques années. « Les gens me disent : "On ne vous voit plus à *110 %*." Sauf qu'ils oublient que je rédige quatre textes par semaine dans mon journal », raconte Tremblay, non sans une pointe d'amertume dans la voix.

On peut affirmer que le côté naturel et sans prétention de *110 %* a suffi à conquérir les téléspectateurs de l'émission. Assis autour d'une table campée dans un décor sans flafla, la priorité demeurait le débat dans sa plus simple expression. « J'ai toujours dit que le succès du show reposait dans sa simplicité, note Marc de Foy. À *110 %*, on retrouvait l'équivalent d'une gang de gars qui boivent de la bière et jasent dans une Cage aux sports. C'est pour cela que ça rejoignait autant les gens. »

Si la quotidienne phare de TQS s'adressait majoritairement au public francophone et masculin de la province, force est d'admettre que les débats sportifs ont dépassé cette frontière. D'abord, l'émission s'est graduellement forgé une place enviable dans le cœur du public féminin. « Si vous saviez le nombre de femmes qui m'ont dit : "Je m'endors en vous écoutant vous engueuler" », se remémore Réjean Tremblay. Puis, des collaborateurs tels l'ancien hockeyeur P.J. Stock et l'animateur de Team 990, Tony Marinaro, ont joint l'équipe. S'exprimant dans un français cassé fort sympathique, leur présence visait bien sûr à attirer les téléspectateurs anglophones. « Je recevais beaucoup de courriels d'anglophones, dit Marc de Foy. Ils nous regardaient parce qu'ils n'ont pas ce genre d'émission enflammée dans la langue de Shakespeare. Peut-être que c'est notre sang latin qui nous pousse à dire tout ce qu'on pense, tandis qu'eux sont plus pondérés. Une chose est sûre, ce genre de show leur manque. »

Autre signe de popularité qui ne ment pas, des joueurs québécois établis un peu partout à travers la LNH ont déjà confié qu'ils syntonisaient *110 %* via leur satellite. Ce sont évidemment les hockeyeurs du Canadien qui suivaient le plus assidûment l'émission, puisque les débats portaient majoritairement sur les déboires ou les succès de l'équipe. En 2009, alors qu'Alex Kovalev et les frères Kostsityn alimentaient la plupart du temps la manchette, les joueurs francophones traduisaient fréquemment le contenu de l'émission au reste du club. « On m'a dit que ça se produisait souvent après les entraînements, confie Marc de Foy. Ce qui est certain : *110 %* dérangeait la direction du Canadien, au point qu'elle songeait à retirer l'accréditation à V pour la prochaine saison de *L'attaque à 5.* » On ne connaîtra jamais le dénouement de ce dossier puisque l'émission ne figure plus à la programmation de la station depuis l'automne 2010.

La formule de débats épiques de *110 %* avait beau passionner les téléspectateurs, tous les collaborateurs de l'émission n'appréciaient pas les échanges musclés et les dérapages qui s'ensuivaient parfois. Bertrand Raymond est l'un d'eux. De son propre aveu, il ne pouvait se résoudre à attaquer personnellement ses collègues assis autour de la table. « Je ne suis pas capable de dénigrer quelqu'un en ondes, ce n'est pas mon style », confie-t-il. On comprendra son malaise lorsque les débats prenaient davantage une tournure de *freak show* ou d'arène de lutte. Le chroniqueur reproche d'ailleurs aux pilotes de la quotidienne d'avoir souvent alimenté les attaques personnelles qui n'avaient pas leur place. « Un bon animateur ne devrait pas faire mal paraître ses panélistes, croit Raymond. Rivard était visiblement heureux quand un gars se faisait rouler dans la boue. Même Jean Pagé perdait parfois le contrôle de la table. » Voilà pourquoi, petit à petit, l'ex-columnist du *Journal de Montréal* a commencé à se détacher de *110 %*, pour se tourner quelques années plus tard vers *La zone* et *L'antichambre.*

Lajoie et Grégoire : les mal-aimés

Dans le petit milieu des médias sportifs, l'expérience acquise au fil de la carrière compte énormément. Tant Réjean Tremblay que Marc de Foy et Bertrand Raymond ont accumulé un solide bagage avant de se retrouver derrière un micro de *110 %*. À eux seuls, les trois spécialistes du sport cumulent plus de 90 ans de métier. Pas étonnant que la montée fulgurante de Jean-Charles Lajoie et de Gabriel Grégoire leur ait hérissé le poil des bras. Pratiquement sortis de nulle part, les deux débatteurs sont devenus la coqueluche de TQS, qui a grandement contribué à les élever au rang de personnalités médiatiques. Réjean Tremblay déplore la facilité avec laquelle ils ont accédé à ce statut tant convoité. «Avant, tu commençais dans les journaux hebdomadaires, puis tu progressais au *Quotidien* de Chicoutimi et ensuite tu atterrissais à *La Presse* aux faits divers, dit-il. Après, on pouvait te confier les sports. Dans le cas de Lajoie, il a remporté le concours Sport Académie et il est devenu une star à CKAC. C'est beaucoup trop soudain, tout comme Gabriel. Après avoir joué pour les Alouettes, il faisait des frites à la Patate Grégoire de Sainte-Martine et maintenant, c'est une vedette de la radio.»

Marc de Foy partage ce constat. Le journaliste soutient qu'un «malaise généralisé» s'est installé dans la profession lorsque Jean-Charles Lajoie s'est soudainement retrouvé sous les projecteurs. «Peut-être à cause de la façon dont il est entré dans le métier, on l'a perçu comme un outsider», raconte-t-il. Lajoie avait également tendance à s'en prendre aux joueurs en critiquant la lenteur d'un tel ou le manque d'éthique d'un autre. Un soir, l'ex-hockeyeur du Tricolore, Marc Bureau, a jugé que Lajoie avait dépassé les bornes et il lui a cloué le bec en ondes. «Moi-même, je lui ai suggéré de ne plus rire des athlètes, car ça allait miner sa crédibilité auprès des sportifs, se souvient de Foy. Lajoie a déjà ridiculisé Robert Lang, qu'il appelait Robert Lent à répétition. Sauf qu'avant de se blesser, il était le meilleur marqueur du Canadien.» Le journaliste du *Journal de Montréal* considère néanmoins que Lajoie a appris de ses erreurs et qu'il s'abstient aujourd'hui de diminuer inutilement les athlètes.

À l'opposé des deux vedettes instantanées de CKAC, Jean Perron recueille une forte dose de respect de la part de Tremblay, de Foy et Raymond. Tous reconnaissent le côté naïf et bon enfant de l'ancien entraîneur du Canadien qui a énormément aidé à maintenir *110 %* à flot dans les cotes d'écoute. Réjean Tremblay va plus loin, affirmant que le créateur de nombreux *perronismes* jouit d'une liberté unique en ondes. « C'est le seul qui peut vraiment dire ce qu'il veut. Il n'en retire pas d'intérêt pécuniaire et il n'a pas d'ego à flatter. La vraie star de *110 %*, c'est définitivement lui. »

Quand l'ex-coach a subi les foudres de François Gagnon et de Pierre Rinfret, le public s'est alors rangé en bloc derrière le coloré débatteur. C'est d'ailleurs Perron qui a lancé les révélations-chocs au sujet des frères Kostsityn et de leurs fréquentations non recommandables. L'histoire a été fouillée et étayée par *La Presse*, mais l'ancien entraîneur en avait fait mention avant tout le monde dans son style unique. « On riait souvent de lui et de ses expressions spéciales, mais les gens l'aimaient malgré ses nombreux calembours », affirme Marc de Foy.

Un bol de Corn Flakes avant le coucher

Après avoir ergoté vingt bonnes minutes avec des débatteurs pas reposants tels Michel Villeneuve et Gabriel Grégoire, Réjean Tremblay rentrait chez lui complètement épuisé. Au même titre qu'un sportif, le chroniqueur considérait *110 %* comme un véritable match où le meilleur l'emporte. « Souvent, on sortait du studio et la conversation durait encore un autre 20 minutes, dit-il. J'arrivais chez nous et ça me prenait un bol de Corn Flakes avant de m'endormir. » Au dire de Tremblay, Jacques Thériault quittait également le plateau de TQS en sueur. Il faut dire que les débats impliquant Michel Villeneuve n'avaient pas l'habitude d'être de tout repos. Les trois journalistes de la presse écrite savaient qu'ils devaient arriver préparés s'ils voulaient rivaliser avec la grande gueule de *110 %*. « C'était le gars le plus dangereux du show parce qu'il pouvait servir des mornifles à tout le monde, se rappelle Bertrand Raymond. Malgré tout, il ne m'a jamais planté méchamment même s'il le faisait souvent avec d'autres débatteurs. »

De ces trois membres de la presse écrite, c'est Réjean Tremblay qui entretenait la meilleure relation avec Michel Villeneuve. « Il est à la télé comme il est dans la vie, mentionne-t-il d'emblée. Ceux qui le détestent au petit écran le détesteraient aussi au quotidien. Il demeure convaincu qu'il a toujours raison et il tente par tous les moyens de faire adopter ses positions à tout le monde. » Tremblay rend tout de même à César ce qui lui revient. « C'est lui qui travaille le plus fort du lot, affirme-t-il. Quand il arrive sur le plateau, il a tout lu sur le sujet du jour et il est prêt. » Peu de gens savent que l'ex-débatteur vedette de TQS est aussi un être extrêmement cultivé et un épicurien. Réjean Tremblay se charge de le signaler. « Il connaît la musique et c'est un grand lecteur. Il détient un bac en bibliothéconomie. Tu peux marcher des heures avec lui à Paris et discuter de littérature. Assis dans son salon, le public ne connaît pas la grande culture de Villeneuve. Les gens ne font que le trouver baveux. »

Une émission collée au peuple

Même s'ils se montrent peu sympathiques à l'endroit de Grégoire et Lajoie, et malgré toutes les critiques qu'ils peuvent adresser sur la façon dont a évolué *110 %* au fil des années, Réjean Tremblay, Marc de Foy et Bertrand Raymond s'entendent sur un point : l'émission est parvenue à s'incruster dans le quotidien des gens en quelques années seulement. « Ça fait définitivement partie du folklore québécois », soutient Raymond. Son collègue Réjean Tremblay ajoute : « Tout le monde a copié le concept, de *La zone* à *Il va y avoir du sport*, avec Marie-France Bazzo à Télé-Québec. »

D'autres reprocheront à l'équipe de *110 %* d'avoir centré les débats presque exclusivement sur le Canadien pour mousser ses cotes d'écoute. Un fait qui ne heurte pas le moins du monde Réjean Tremblay, qui soutient que l'émission n'a fait qu'offrir au public ce qu'il demandait. « Plus de 80 % des gens qui s'intéressent au sport sont des amateurs du Canadien, dit-il. Pour suivre la F1, il faut que tu saches lire et compter, c'est plus compliqué. Prendre pour le CH est à la portée de tous. » Il conclut de manière philosophique : « La force de *110 %* a été de s'aligner sur le peuple et en ce sens, l'objectif a été particulièrement réussi. »

Chapitre 9

Les gars de radio

Un sacré numéro !

Au début de l'année 2006 est arrivé sur les ondes de CKAC un drôle de spécimen qui n'a laissé personne indifférent. Révélé au grand public par le biais du concours Sport Académie, Jean-Charles Lajoie s'est rapidement implanté comme un commentateur coloré qui ne craint ni la provocation ni la controverse. Bon nombre d'observateurs s'attendaient à ce qu'un animateur aussi fort en gueule soit rapidement recruté par l'équipe de *110 %* pour prendre part aux débats quotidiens. Or, la transition entre CKAC et le Mouton Noir ne s'est pas faite du jour au lendemain. « On ne m'a pas invité tout de suite, et j'ai senti que TQS semblait frileuse à mon égard », confie Lajoie.

Éric Lavallée lui a donné une première chance dans les mois suivant son arrivée à la radio montréalaise. Le moins que l'on puisse dire est que le résultat fut tout sauf concluant. Du moins pour la direction du Mouton Noir, qui n'a pas semblé convaincue par les prestations de Lajoie. Le principal intéressé avoue ne pas comprendre pourquoi les choses n'ont pas débloqué plus rapidement. « Au début, ça s'est passé très tranquillement, même que j'avais l'impression d'être délaissé, dit-il. Tous les jours, j'attendais le téléphone d'Éric. Je n'étais pas têteux, donc je ne l'appelais pas, mais je faisais dans mes culottes au quotidien. J'ai pensé qu'ils ne saisissaient pas mon personnage. » Éric Lavallée a confirmé que Jean-Charles Lajoie n'a rien cassé à ses premiers débats. Ce qui n'a pas empêché le commentateur d'exiger une hausse de son cachet après quelques émissions seulement. Une demande qui lui a sans doute nui et qui explique peut-être pourquoi il a dû patienter plus d'un an avant d'obtenir un poste régulier.

Ce fut de longs mois de tourmente pour Lajoie, dont l'ego a beaucoup souffert de ce qu'il estimait être un manque de considération. « J'ai trouvé ça pénible, dit-il. Ça s'est replacé en septembre 2008 quand on m'a offert un contrat avec un nombre d'apparitions garanties et un cachet plus élevé. À ce moment, j'ai compris que j'avais un nom. » Lajoie peut s'estimer chanceux d'avoir conservé son rôle de régulier au sein de l'émission, puisqu'il a commis une bourde qui aurait pu l'expulser à tout jamais de la table des débatteurs.

Un matin de l'automne 2008, il a communiqué avec Éric Lavallée en prenant un ton catastrophé pour lui expliquer qu'il venait d'apprendre que lui, Lavallée, serait congédié. Le Mouton Noir luttait alors pour sa survie et les rumeurs de faillite s'intensifiaient. Non seulement le *timing* était-il incroyablement mauvais, mais il s'agissait aussi d'une blague de très mauvais goût. « Éric était syndiqué à TQS, il m'a cru sur parole. Quand j'ai éclaté de rire, il est devenu en *tabarnak*. Il m'a fait la morale et m'a raccroché au nez. Il ne m'a pas rendu mes appels pendant trois semaines. » Le purgatoire de Lajoie aurait pu durer beaucoup plus longtemps. La direction de la station est-elle intervenue pour ramener le débatteur en ondes ? Toujours est-il que Lavallée a fini par accepter les excuses de Lajoie qui a retrouvé sa place au sein de l'équipe. « Il a vu ma sincérité et aujourd'hui on se parle deux fois par semaine. »

Présomptueux ou simplement confiant ?

On pourrait trouver son attitude fort présomptueuse, mais il faut savoir qu'avant de devenir la vedette qu'il est aujourd'hui, Lajoie a roulé sa bosse un peu partout au Québec dans plusieurs stations de radio et il a participé à l'organisation de nombreux événements promotionnels avant d'atterrir derrière un micro de CKAC. Le volubile animateur se décrit d'ailleurs comme un autodidacte qui a toujours aimé commenter le sport sans toutefois bénéficier d'une antenne pour diffuser ses propos. « Dans ma jeunesse, j'étais celui qui voulait rivaliser avec mes oncles et prouver que je pouvais moi aussi argumenter. L'esprit du débatteur et du moulin à paroles, je le dois à mes oncles. » C'est exactement dans cet univers qu'il s'est senti à sa première apparition à *110 %*, alors qu'il a débattu avec Michel Villeneuve, Michel Bergeron et Jean Perron. Habitué aux joutes oratoires avec les membres plus âgés de sa famille, Lajoie s'est comporté de la même manière dans le studio de TQS. « J'étais le junior, le *green*, qui *picosse* les connaisseurs, comme quand j'étais gamin. »

Commenter l'actualité sous toutes ses coutures ne date pas d'hier pour Lajoie. Âgé de 10 ans seulement, il récitait chaque jour un article de journal dans la cuisine familiale, sur ordre de sa mère. Femme de théâtre qui enseignait la diction, elle a inculqué à son fils le plaisir de débattre en bas âge. En plus de ses lectures quotidiennes, le petit Jean-Charles s'amusait à improviser un bulletin de nouvelles avec la page des statistiques du cahier des sports. « Ça m'a pris 25 ans d'égarement dans les champs de blé pour arriver aujourd'hui à toucher à ce qui me semblait l'inaccessible étoile », dit-il.

Évidemment, l'ascension fulgurante de Lajoie lui a valu une pléthore de critiques, notamment de la part de journalistes sportifs établis qui sont montés sur leurs grands chevaux en le voyant débarquer avec ses gros sabots. Il faut dire que Lajoie peut difficilement renier son passé. Il n'a jamais obtenu de diplômes universitaires ni même au collégial. Son baccalauréat en études françaises n'a pas été complété. Idem pour son cours de sciences de la parole au cégep. « Je suis un *drop-out* par nécessité », confie celui qui est devenu père à 18 ans. Pour assurer un minimum de confort à sa progéniture, il a multiplié les petits boulots, mais n'a jamais terminé ses études. « Il fallait que je nourrisse ma famille. J'ai fait de la radio pendant plusieurs années dans des stations inintéressantes où je donnais un t-shirt aux 15 minutes en faisant semblant que c'était amusant. J'aurais fini mes cours si la vie en avait décidé autrement. »

François Gagnon : « Tintin le nuvite au pays des Mormons »

Son éducation incomplète et le fait qu'il paraisse né de la dernière pluie expliquent les nombreuses confrontations entre Lajoie et certains membres des médias, surtout dans la presse écrite. Il est de notoriété publique que Gagnon et Lajoie se détestent au plus haut point. Une relation plutôt houleuse semble aussi subsister entre l'animateur de CKAC et le reporter Richard Labbé, lui aussi de *La Presse*. Fidèle à son habitude, Jean-Charles Lajoie ne se gêne aucunement pour répondre, et même, attaquer ses détracteurs. Lorsqu'on aborde cette relation conflictuelle, on sent qu'il s'agit d'un sujet chaud au ton ému, mais tranchant de sa voix. « Les journalistes me disent : "Tu sors d'où toi ?" ou "Tu es né d'un concours ?" Mais il sort d'où Richard Labbé ? Et Pierre Rinfret ? Comment ça se fait qu'on ne pointe plus du doigt les *joueurnalistes* et que des personnes comme moi deviennent des parias ? Je n'ai pas fait mes études en lettres, mais je les ai commencées. Est-ce que j'ai le droit d'exister maintenant ? Je suis né pour faire ce métier-là, alors qu'ils le comprennent ! »

François Gagnon arrive en tête de liste des plus virulents critiques du travail de Lajoie. L'animateur soutient que le journaliste de *La Presse* a commencé à casser du sucre sur son dos sur différentes tribunes quelques mois seulement après son entrée à CKAC. Lajoie a laissé passer quelques semaines et un beau jour, il a profité de son micro radiophonique pour ramasser Gagnon. Il a alors raconté un épisode plutôt cocasse survenu lors des Jeux olympiques de Salt Lake City. Le bruit avait couru que Gagnon s'était retrouvé en costume d'Adam au beau milieu de la nuit dans un corridor de son hôtel. Sans clé magnétique, il ne pouvait rentrer dans sa chambre. Sa fâcheuse posture avait alimenté bien des rumeurs pour le moins croustillantes qui tentaient d'expliquer comment il avait pu se retrouver en pareille situation. Reprenant l'histoire dans son ton coloré, Lajoie a qualifié le journaliste de « Tintin le nuvite au pays des Mormons », en référence à l'importante communauté mormone qui habite cette ville de l'Utah. « François ne l'a pas trouvé drôle, convient Lajoie. Je sais que Michel Bergeron, qui m'aime bien, lui a demandé lors d'un tournoi de golf de m'appeler en lui disant :

"Voici le numéro de Jean-Charles, téléphone-lui, car il est bon et il devrait demeurer dans l'équipe de *110 %*." »

Les deux hommes se sont effectivement parlé, mais la hache de guerre n'a jamais été enterrée. C'est du moins l'avis de Lajoie, qui soutient être toujours la cible du journaliste, cette fois à RDS, dans *L'antichambre*. « Il a joué la comédie quand on s'est expliqué parce qu'il a recommencé à me planter, alors que, moi, j'étais sincère », dit Lajoie. Frustré des attaques répétées de son rival, l'animateur de CKAC s'est livré à un petit jeu, histoire de tester qui, de Gagnon ou de lui, jouissait de la plus grande popularité auprès du public. L'exercice peut sembler puéril, et même risible, mais il faut rappeler que les ego démesurés sont monnaie courante dans le milieu de la télé.

Ainsi, Lajoie dit s'être pointé dans un centre sportif de la région métropolitaine muni d'une photo de son dénigreur. « J'ai demandé aux gens d'identifier Gagnon et seulement trois sur dix savaient qui il était. Le tiers de la population le connaît, alors que neuf personnes sur dix peuvent me nommer. Sur les neuf, trois vont dire que je suis un *ostie* d'épais, mais je sais que les six autres me passeraient 1 000 $ sans me demander de papiers. Je pense que ça fait chier François. Même s'il se multiplie en 14 et que sa face apparaît sur toutes les tribunes, il est *drabe* et beige, alors ça ne passe pas. » Après cette analyse pour le moins tranchante, Lajoie a demandé à ce que ces propos sur François Gagnon ne soient pas cités. Puis, il s'est repris et a accepté, disant assumer chacun de ses mots.

On ne risque pas non plus de voir Richard Labbé sur la liste d'invités aux barbecues de Lajoie. « J'ai de la misère avec lui parce qu'il me coupe constamment la parole », dit-il. Jean-Charles Lajoie n'a toujours pas saisi pourquoi le journaliste de *La Presse* semblait prendre plaisir à ne pas le laisser développer sa pensée. « Mon propos a le mérite d'être intéressant, poursuit-il. Les gens aiment m'entendre pour se forger une opinion. Richard m'a toujours coupé l'herbe sous le pied et c'est dommage parce que ça ne faisait pas de la bonne télé. »

Vraiment piqué, Lajoie en rajoute, affirmant qu'il aimerait bien remettre Labbé à sa place un beau jour. « Ce n'est pas que je ne l'aime pas, il est drôle de nature. Mais si j'avais l'occasion de boire une bière avec lui, je lui dirais de *slacker* la poulie. Il arrivait à *110 %* avec sa chemise Hugo Boss qu'il portait tout croche, ses cheveux dépeignés et quand je parlais, il n'avait plus aucun jugement, et de l'écume sortait quasiment de ses lèvres. N'y avait-il pas moyen qu'il soit simplement agréable ? »

« Je réponds à un besoin »

Avec des propos aussi gratuits, on comprend aisément que Lajoie ait pu avoir maille à partir avec tant de débatteurs de *110 %*. Une chose demeure, le commentateur s'attire bon nombre de critiques, mais il a ses fidèles. Doté d'une confiance qui frise l'arrogance, il estime d'ailleurs remplir un créneau qui n'était pas comblé avant son arrivée dans le monde médiatique. « La bibitte que je suis correspond à un besoin de la population, dit-il. Si ce besoin disparaît, on me tassera dans cinq ans. Pour l'instant, je reçois souvent des commentaires de gens me disant que je suis le seul animateur de CKAC que leur femme accepte d'écouter dans la voiture. J'aime évidemment entendre de telles remarques. »

Au fil des mois, alors que ses présences se succédaient, Jean-Charles Lajoie a débattu sur bon nombre de sujets à *110 %*, capable de commenter les déboires du Canadien aussi bien que d'aborder des thèmes plus sociologiques comme la place des femmes dans le sport. Il a travaillé à développer cette image de généraliste pour s'assurer d'être invité le plus souvent possible, mais aussi pour éviter d'être pris à partie par des ex-joueurs de hockey qui auraient pu remettre en doute ses compétences sur ce sport. « Si un gars qui a joué huit parties dans la LNH m'avait demandé à combien de matchs j'avais participé, j'aurais été obligé de dire huit de moins que toi et je me serais cassé la gueule », dit-il.

Malgré tous les efforts qu'il déployait pour éviter de se faire rabrouer en ondes, la spontanéité et la grande gueule de Lajoie lui ont joué bien des tours. Ça lui a notamment valu de se faire remettre à sa place par un autre journaliste, Michel Langevin, aujourd'hui animateur à CKAC et panéliste à *L'antichambre*.

Un soir où Lajoie pérorait dans un débat sur le hockey, Langevin l'a coincé en mettant en doute la pertinence de ses propos. « Il voulait prendre toute la place et il a dit des choses sur les joueurs que je n'aurais jamais osé dire même si j'ai été 15 ans dans un vestiaire professionnel », dit l'ancien descripteur des matchs des Sénateurs d'Ottawa. Langevin s'est toutefois assuré de peser ses mots, puisque Lajoie était depuis peu son collègue à CKAC.

En dépit de ses frictions évidentes avec plusieurs membres de la presse écrite, Jean-Charles Lajoie affirme n'avoir jamais refusé de prendre part à un débat sous prétexte que tel commentateur ou journaliste y participait. « La nuance, c'est qu'eux n'ont pas eu le choix de m'adopter, dit-il. Ils ont compris que j'étais un membre en règle de la gang. N'empêche, j'ai parfois l'impression d'avoir énormément de *chums* quand ils sont à mes côtés, tout en ayant un tas d'ennemis quand j'ai le dos tourné. »

Narguer les connaisseurs de Montréal

À l'inverse de Lajoie, *110 %* a été pour Michel Langevin le tremplin qui l'a propulsé à CKAC et à RDS, où il travaille aujourd'hui. Arrivant de l'Outaouais, où il avait couvert les activités des Sénateurs durant 13 ans, il a d'abord contribué à mousser la rivalité entre Montréal et la capitale fédérale. Les téléspectateurs québécois l'on découvert en 2006 au Mouton Noir. Langevin a particulièrement apprécié ses débuts à TQS, alors qu'on lui a donné l'occasion d'en découdre avec les grands « connaisseurs » du hockey, dans leur fief métropolitain. « C'était agréable de venir narguer les spécialistes qui ont une opinion sur tout pour leur montrer que des gens peuvent parler de hockey même à l'extérieur de Montréal, explique-t-il. Le public a vu que j'en connaissais un bout sur ce sport et que je pouvais développer mes arguments. » Souvent appelé à débattre auprès de Michel Villeneuve, Langevin a voulu s'inspirer du commentateur vedette de TQS. Il a rapidement compris qu'il devait se préparer adéquatement s'il souhaitait pouvoir rivaliser avec un pro comme Villeneuve. « Dans ma vie médiatique, c'est ma référence, dit Langevin. C'est un gars baveux qui maîtrise ses sujets, mais il sait aussi comment aller chercher le meilleur de ses collègues en les piquant au bon moment. J'ai beaucoup appris de lui, mais je ne suis pas à son niveau. »

Langevin a senti qu'il détonnait dans le studio de *110 %*. Il n'était ni *joueurnaliste*, ni entraîneur, et son visage était à peu près inconnu du grand public montréalais. Pour un reporter habitué à rédiger des articles au quotidien, débarquer dans un univers aussi éclaté que celui de *110 %* représentait un réel défi. Michel Langevin se décrit d'ailleurs comme un travailleur ordonné, très *by the book*. « Pour moi, *110 %* est devenu un complément à une vie professionnelle rangée, dit-il. Dans cette émission, tout était à l'envers, on pouvait lancer un *uppercut* avant un *jab* et c'était permis. J'ai toujours perçu le show comme une pièce de théâtre sans scénario. » Langevin l'avoue sans détour : d'entendre les pseudo spécialistes de Montréal y aller de leurs prédictions et étaler leur grand savoir sur le Canadien et le hockey le faisait souvent rager, lorsqu'il demeurait à Gatineau. À sa première invitation à *110 %*, le journaliste s'est d'ailleurs fait un devoir de remettre à leur place certains « champions », comme il les appelle. « J'ai eu une bonne argumentation avec Villeneuve, raconte-t-il. Sauf qu'il m'a donné quelques tapes sur le museau ce soir-là, comme s'il voulait dire : "Tu veux parler comme ça, mon p'tit jeune…" »

L'ancien journaliste n'a pas mis de temps à trouver ses repères dans le show. D'abord intimidé par Michel Bergeron, il a appris à repérer les immenses portes qu'ouvrait le Tigre pour mieux le ramasser par la suite. « J'ai tellement eu de plaisir à me pogner contre lui. » Tombé dans les bonnes grâces d'Éric Lavallée et visiblement apprécié du public, Michel Langevin s'est vu offrir un contrat lui garantissant 60 apparitions l'année suivant ses débuts à *110 %*. On lui a offert un salaire de 400 $ par émission, cachet qu'il n'a jamais négocié ou contesté.

Au même moment, CKAC l'a approché pour animer sa nouvelle quotidienne matinale. Le journaliste vivait un nouveau départ professionnel dans la grande ville qui lui offrait d'excellentes tribunes radiophoniques et télévisuelles. Or, fin 2007, la grande tourmente commençait à balayer TQS. Inquiet, Langevin a senti le besoin de consulter Jean Pagé sur l'avenir du Mouton

Noir et de *110 %*. « Je lui ai demandé si la station allait être vendue, et même lui ne le savait pas », explique-t-il. Quelques mois plus tôt, *110 %* avait perdu deux de ses têtes d'affiche en François Gagnon et Michel Bergeron, recrutés par *L'antichambre* de RDS. Peu de gens savent toutefois que Langevin devait aussi faire partie de cette « transaction », mais une décision émanant de la haute direction de TQS et de RDS a changé la donne. Il peut sembler impensable d'imaginer que TQS ait pu forcer Langevin à demeurer à *110 %*, malgré les pressions du Réseau des sports, mais il faut rappeler que les deux stations travaillaient conjointement à la préparation de la diffusion des Jeux olympiques de Vancouver. Michel Langevin est donc demeuré à *110 %* jusqu'en 2008, avant de finalement quitter l'émission pour *L'antichambre*. « Je n'aurais pas lâché si TQS n'avait pas été vendue », confie-t-il.

Une lourde perte

Le départ du journaliste pour le réseau concurrent, jumelé à ceux de Gagnon et Bergeron, a semblé porter un coup fatal à *110 %*. On a senti le moral des troupes s'affaiblir considérablement devant l'avenir assombri de la station. Michel Langevin soutient qu'il n'a jamais approché RDS et qu'il a toujours fait preuve de loyauté envers TQS. Nouvellement établi à Montréal, il ne pouvait toutefois cracher sur l'offre de *L'antichambre*, qui lui procurait une visibilité sans précédent. Au printemps 2008, il a donc signé en catimini une entente avec RDS, alors qu'il participait toujours à *110 %*. La nouvelle n'est pas demeurée secrète bien longtemps ; le commentateur Pierre Rinfret l'a apprise dans les jours qui ont suivi, sans toutefois savoir qu'il s'agissait de Michel Langevin. « Un soir, au maquillage avant le début de *110 %*, Pierre a dit qu'il savait que quelqu'un de TQS démissionnait pour aller à *La robe de chambre* à RDS, dit Langevin. Je ne voulais pas agir en hypocrite, alors à la fin de l'émission, en marchant vers nos voitures, j'ai confié à Jean Pagé que je partais. » Le coup a immédiatement porté. Pagé a semblé extrêmement ébranlé, aux dires de Langevin. « C'était comme une démolition en règle pour lui, comme si je l'abandonnais.

Pourtant, je lui avais demandé plusieurs fois ce qu'il adviendrait de *110 %*. J'aurais aimé qu'il comprenne ma décision et qu'il me dise que j'avais la chance et l'assurance de participer à un show sportif. »

Michel Langevin pensait, naïvement sans doute, qu'il conserverait son siège à *110 %* malgré l'annonce de son entrée en fonction à RDS prévue pour l'automne suivant. Jean Pagé en a décidé autrement. Le lendemain de ses confidences à Pagé, Éric Lavallée a rejoint Langevin pour lui signifier que son aventure à TQS se terminait le jour même. « Il m'a dit : "C'est fini, oublie ça." J'ai demandé pourquoi et il a répondu : "Euh… Jean ne veut pas que tu sois là." »

À n'en plus douter, les couteaux volaient désormais bas et une nouvelle pression s'était ajoutée pour TQS, qui devait maintenant composer avec la concurrence. Michel Langevin affirme que l'ambiance s'est détériorée dans les semaines suivant le départ de Bergeron et de Gagnon. « Ça a commencé à *bitcher* contre les autres réseaux, dit Langevin. Avant, *Bergie* passait son temps à nous raconter des histoires des années 1970 et 1980, et Jean Perron nous parlait d'anecdotes incroyables. Puis, le plaisir qu'on avait à se retrouver ensemble est disparu. Dorénavant, il y avait une émission à battre de l'autre côté. Les gars sentaient le besoin d'abaisser la gang rendue à RDS pour se tenir au-dessus de l'eau. J'arrivais toujours à la dernière minute avant le show pour ne pas entendre les commentaires négatifs. »

Langevin conserve néanmoins d'excellents souvenirs de son passage à *110 %*. Il se rappelle notamment une soirée mémorable du Jour de l'an durant laquelle son équipe composée de P.J. Stock et Mario Langlois affrontait celle de Réjean Tremblay et Yvon Pedneault. Le sujet portait sur la Formule 1, un terreau très fertile pour Tremblay, mais beaucoup plus aride pour Langevin, qui s'était toutefois préparé très minutieusement. « Réjean avait sorti ses arguments, mais je l'attendais au détour et je lui ai fait *bang* dans les dents ! On avait gagné le débat, j'ai encore le trophée à la maison. »

À RDS depuis deux ans, Michel Langevin affirme s'y sentir davantage à l'aise que dans la formule de débats souvent cacophoniques du Mouton Noir. Il aime également y avoir côtoyé des personnalités telles que Michel Therrien et Patrick Roy. On a toutefois de la peine à le croire lorsqu'il dit que le Réseau des sports ne se souciait aucunement de *La zone* ou de *110 %*. « Ils ne regardent pas de l'autre bord de la rue, ils pensent à leur show et la locomotive, c'est le Canadien », affirme-t-il. Fait amusant, on lui a reproché à au moins une reprise de s'emporter avec trop d'émotions lors d'une émission de *L'antichambre*. « On m'a appelé un soir pour me dire que ça ressemblait trop à *110 %*. » Il arrive également que des gens qui l'accostent dans la rue lui parlent encore de l'émission phare de TQS. Comme quoi on peut sortir un gars de *110 %*, mais on ne sort pas *110 %* du gars…

Tout sauf le CH !

On ne saurait mentionner l'apport des animateurs de CKAC à *110 %* sans évoquer Jacques Thériault. L'ancien responsable des relations publiques chez Interbox s'est d'abord pointé à *110 %* à titre de spécialiste des questions de boxe, mais on l'a aussi vu intervenir lors de débats sur le Tour de France, l'omniprésence des médias sportifs ou le sport automobile. Comme le hockey et le Canadien accaparaient la majorité des émissions de *110 %*, c'est durant l'année du lock-out de la LNH que Thériault a pu se mettre en évidence. On ne s'étonne pas qu'il juge de façon incisive la décision de TQS de concentrer ses débats sur le Tricolore. « C'est une erreur, lance-t-il. Cette année (en 2010), ça n'avait plus d'allure, avec les trois shows sportifs qui brassaient la même soupe. C'est consternant ! En France, ils parlent du foot, mais pas d'une seule équipe. Ici, ce n'est même pas le hockey, ça tourne uniquement autour du CH. Je pense que les amateurs de sports généralistes vont maintenant chercher leurs informations dans les chaînes anglophones. »

En dépit du fait que Jacques Thériault a peu participé aux débats sur la Sainte-Flanelle, il a néanmoins obtenu une visibilité qu'il n'espérait pas, même comme animateur à CKAC. Il s'est notamment rendu célèbre pour ses mémorables prises de bec avec Serge Amyot. Peu de téléspectateurs de *110 %* savent toutefois que les deux hommes sont de bons amis dans la vie de tous les jours. « Un gars qui nous a vus souper tous les deux au Festival de jazz n'en revenait pas de nous voir ensemble. Je lui avais expliqué que c'était comme à la lutte, le bon et le méchant se retrouvent après le show pour boire une bière. »

Favorisé d'une formation en théâtre, Thériault s'est allègrement servi de ses talents de comédien pour jouer le rôle du personnage tenant mordicus à ses opinions. Il affirme toutefois n'avoir jamais simulé l'une de ses nombreuses colères. Ses prises de bec ne tombaient jamais dans la méchanceté et à l'exception du promoteur Régis Lévesque et du journaliste Pierre Lecours, il soutient n'avoir eu de problèmes sérieux avec aucun débatteur. Dans le cas du promoteur de boxe, les propos avaient dégénéré et Lévesque avait menacé de lui « en *câlicer* une ». Jacques Thériault se souvient que Jean Pagé avait dû intervenir pour mettre fin aux hostilités. « Éric Lavallée avait aussi chicané Régis. Il était comme un petit garçon, tout penaud de s'être emporté. » Quant à Pierre Lecours, il avait engueulé Jacques Thériault comme il savait si bien le faire, tentant ensuite de lui clouer le bec en lui disant de « fermer sa gueule ».

Les débats sur la boxe étaient souvent sujets aux débordements, d'autant que le sport est ancré dans le folklore québécois, avec les sagas entourant Stéphane Ouellet et la famille Hilton. Et qui dit folklore dit Ti-Guy Émond, dont les apparitions faisaient la plupart du temps déraper *110 %*. « Il ne me dérangeait pas, mais il partait trop souvent dans le passé, dit Jacques Thériault. Il parlait constamment de la boxe de 1950 avec son père (décédé alors qu'il n'avait que 11 ans). Mais ça faisait partie de son personnage. »

Une émission culte, grâce à Girouard ?

Questionné sur la pertinence du chroniqueur Michel Girouard, Thériault se montre catégorique. Alors que bien des débatteurs de *110 %* appréciaient l'éclaté commentateur, Thériault n'a jamais compris pourquoi on l'invitait. « Il n'avait pas sa place, tranche-t-il. Même chose pour Varda (l'animatrice Varda Étienne), elle n'avait pas d'affaire dans le show. Ces deux-là n'avaient rien à voir dans l'émission. »

Quoi qu'en pense Thériault, Michel Girouard estime au contraire qu'il remplissait un rôle d'importance à *110 %*. « L'émission a déjà fait 340 000 de cote d'écoute un soir où j'y étais, c'est énorme pour cette heure », dit-il, non sans fierté. Le chroniqueur culturel va même jusqu'à affirmer que davantage de femmes écoutaient l'émission lorsqu'il y participait. Il faut dire que les sujets abordés avec Girouard tombaient plus souvent dans les cordes du public féminin. « Je parlais souvent de *jet set* dans le sport ou de la beauté des athlètes. Il n'y a pas un gars qui acceptait de dire qu'un athlète était beau. Je crois aussi que le public de *110 %* n'en revenait pas de voir un homosexuel qui s'affiche. Ça les fascinait et ça mettait du piquant. »

Le spécialiste du showbiz ne fait pas de cas de ses détracteurs. Il est conscient qu'il pouvait choquer. N'empêche, il amenait une touche *glamour* dans un show qui carburait aux échanges virils et à la testostérone. Souvent appelé à débattre les vendredis, où les sujets étaient plus légers, Girouard pouvait aussi bien s'épancher sur son dîner avec la joueuse de tennis Anna Kournikova ou sur le corps sculptural de David Beckham en page frontispice d'un magazine. « C'est ça qui attirait les femmes sur le show », dit-il.

Même si Jacques Thériault désapprouvait la présence de Girouard, il n'empêche que le chroniqueur a contribué à sa façon au succès de *110 %* en ralliant un auditoire éclectique autour de sujets normalement réservés aux sportifs. « Plein de gens qui méprisaient le sport regardaient le show, les femmes nous écoutaient également : ça, c'est une émission culte », conclut l'animateur.

Chapitre 10

Les gars de char

Jacques Villeneuve, le mal aimé

Après le hockey, qui a monopolisé la vaste majorité des débats de *110 %*, le sport automobile a attiré les cotes d'écoute les plus substantielles de l'émission. Pas besoin de chercher midi à 14 heures pour réaliser que Jacques Villeneuve a constitué le point central des nombreux débats sur la Formule 1. Durant ces soirées, Michel Bergeron, Jean Perron et François Gagnon cédaient leur siège à Jacques Duval, Pierre Lecours, Philippe Lagüe, Bertrand Godin et l'auteur de ces lignes.

Du lot, seul Lecours a refusé de revenir sur sa participation à *110 %*, ce qui, faut-il en convenir, n'est guère surprenant quand on connaît le caractère particulièrement antipathique de l'homme. « Je n'ai pas de temps à perdre et je n'ai rien à dire », telle fut sa réponse, aussi succincte que bête, à l'invitation qui lui a été lancée au téléphone.

La relation amour-haine entre Jacques Villeneuve et les Québécois a offert une bouée de sauvetage à Éric Lavallée qui pouvait compter sur les débats sur la F1 pour soulever les passions du public quand le Canadien ne jouait pas ou durant l'été. Car soyons francs, mis à part le hockey et la course automobile — grâce à Jacques Villeneuve — aucun autre sport n'aurait suscité le degré d'émotion nécessaire pour faire véritablement lever *110 %*. La formule classique imaginée par Lavallée a rapidement fait ses preuves. D'un côté de la table, il installait les pro-Villeneuve, soit Godin ou moi-même. De l'autre, prenaient souvent place Jacques Duval et Michel Villeneuve — sans oublier le coloré et amusant (pour certains) Ti Guy Émond, avec son éternelle ritournelle « il n'a rien gagné depuis 5 ans et il fait encore la une des journaux » — qui ne se gênait pas pour déblatérer sur l'ex-champion du monde. « Jacques Villeneuve m'irritait et j'ai fini par camper un rôle complètement anti-Villeneuve à *110 %* », dit Duval. L'auteur des premiers guides automobiles au Québec admet qu'il ne portait pas le pilote dans son cœur. Il n'acceptait pas l'attitude désinvolte de Villeneuve face à son père. « Au début de sa carrière, il disait aux journalistes de lui foutre la paix avec ça et il ne voulait pas en parler. Il ne reconnaissait pas de façon vibrante ce que son père avait fait. Après tout, les portes ont été ouvertes grâce à son père. »

L'opinion de Duval au sujet du coureur automobile ne s'est pas améliorée avec les années. Encore aujourd'hui, le journaliste critique le choix du pilote de s'acharner à retourner en piste. « D'aller faire des courses de camion, je trouve ça ignominieux, dit-il. Il s'est dégradé et il a dégradé ses titres. Il aurait dû rentrer dans son foyer et devenir analyste, par exemple. » À l'inverse, Bertrand Godin se portait la plupart du temps à la défense de Jacques Villeneuve. Lui-même un ancien pilote de Formule 3000, Godin estimait comprendre mieux que quiconque les embûches vécues par Villeneuve sur les circuits.

Un incident impliquant le célèbre pilote lors d'un Grand Prix disputé à Montréal a d'ailleurs été à l'origine d'une violente dispute entre Bertrand Godin et Jean Pagé. L'animateur, qui estimait que Villeneuve avait effectué une manœuvre stupide, avait fini par remettre en question les compétences de pilote de Godin. Pagé s'explique d'ailleurs à ce sujet dans le chapitre qui lui est consacré. « Moi, j'ai trouvé ça vexant, confie Godin. Si on devait discuter de mes expériences de coureur automobile, à quoi ça servait que j'aille à *110 %* ? J'en tremblais encore quand je suis arrivé chez moi après le débat. » Des excuses ont toutefois été formulées de part et d'autre, le lendemain de la dispute. Fait à souligner, c'est Jean Pagé qui a réalisé la première entrevue de la carrière de coureur de Bertrand

Godin, à Radio-Canada, en 1989. « Je venais de représenter le Canada en karting », se rappelle le pilote.

Lagüe règle ses comptes avec Duval

Des trois débatteurs attitrés à la F1, Philippe Lagüe s'estime le plus neutre au sujet de Jacques Villeneuve. S'il admet que son père, Gilles, était sa première idole, le fils, en revanche, ne le rendait pas particulièrement émotif. « Ce n'est pas que je ne l'aimais pas, c'était un jeune homme brillant, beaucoup moins con que bien des athlètes que j'ai rencontrés », dit-il. Pour Lagüe, l'attitude parfois suffisante du pilote importait peu. Le formidable palmarès de Jacques Villeneuve impressionnait davantage le chroniqueur. « À sa première saison en F1, il a passé proche de remporter sa première course et l'année suivante, il est devenu champion du monde. Que les Québécois ne l'apprécient pas est épouvantable ; il y a beaucoup d'ingratitude dans ce jugement. »

Avec des conceptions aussi différentes des succès de Villeneuve et de l'homme lui-même, pas étonnant que les débats réunissant Lagüe, Godin et Duval aient provoqué autant de flammèches. Mais au-delà de leur appréciation du pilote québécois, des conflits de personnalités extrêmement profonds expliquent l'inimitié bien réelle entre certains de ces spécialistes de l'auto. D'abord, il est bien connu que Philippe Lagüe et Jacques Duval se détestent à un haut degré. Chacun leur tour, ils ont cassé du sucre sur le dos de l'autre, pour différentes raisons qui ont fini par transparaître à l'écran. De nombreux médias ont rapporté il y a quelques années que la chicane entre les deux hommes remontait au jour où Duval avait congédié Lagüe, qui collaborait alors au Guide de l'auto. À l'époque, la publication appartenait à Jacques Duval. « Son travail n'était pas à ma satisfaction. En plus, il abîmait des voitures à la tonne. J'avais beaucoup de plaintes des constructeurs. »

Le son de cloche est fort différent chez Philippe Lagüe, qui soutient que Jacques Duval s'est toujours comporté comme un roi de basse-cour à qui il fallait jurer allégeance. « On lui est tous redevables, dit-il. Sans lui, il n'y a pas de journalisme automobile au Québec. Le problème, c'est qu'il exige qu'on lui soit redevable. Il pense que tout lui est dû.» L'antipathie entre les deux hommes a fini par émerger lors d'un débat de *110 %* durant lequel les points de vue ont rapidement cédé le pas aux attaques personnelles et aux injures. Benoît Charrette et Philippe Lagüe, de l'Annuel de l'auto, se sont retrouvés autour de la table avec Éric Lefrançois et Duval. Lagüe ne se souvient pas des propos de Duval, mais il n'a pas oublié l'attitude du réputé chroniqueur. «Il avait été aussi méprisant et méprisable qu'à l'habitude. Il intimidait mes collègues. Après tout, c'est Duval, ça reste le nom le plus connu dans le domaine. Mais ce soir-là, j'ai décidé qu'il ne m'intimidait plus.» En pleine lancée, il ajoute : «Le problème, c'est qu'il ne respecte personne, alors il reçoit le retour du balancier, personne ne le respecte.» Une affirmation exagérée, de la part d'un Lagüe frustré et foncièrement rancunier.

Duval avait-il «peur d'être oublié» ?

Bertrand Godin a également éprouvé sa part d'ennuis avec la sommité qu'est Jacques Duval. À ses premiers débats à *110 %* en sa compagnie, Godin éprouvait un sérieux malaise. D'un côté, il se retrouvait devant l'un des personnages marquants de sa jeunesse, de l'autre, il se sentait rejeté de façon très cavalière par Duval. «Je voyais qu'il ne m'acceptait pas», se rappelle Godin. Cette tension tirerait son origine d'une histoire de gros sous et d'ego plutôt nébuleuse. Une entreprise du monde de l'automobile pour laquelle Jacques Duval était porte-parole avait évoqué le nom de Godin pour une collaboration ultérieure. Croyant qu'on s'apprêtait à le remplacer, Duval ne l'avait pas digéré, aux dires du pilote. «Personne ne m'avait encore approché, mais c'est venu à ses oreilles et il m'en a voulu.» Au terme d'un débat particulièrement houleux, Godin a senti le besoin de rétablir les ponts. Jacques Duval lui aurait alors fait une révélation étonnante. «Il m'a dit : "J'ai peur d'être oublié un jour." Moi, je lui ai répondu qu'il avait marqué le milieu, et que ça allait rester pour toujours. Par la suite, ça s'est bien passé entre nous deux.»

Jacques Duval n'est pas revenu sur ces cas précis durant l'entretien réalisé pour ce chapitre, mais on comprend à l'écouter qu'il ne tolère pas les fortes têtes. « Dans le milieu de l'auto, il y a des jalousies profondes, beaucoup d'envie et d'orgueil. C'est rempli de gens qui se croient meilleurs que les autres ; des personnes qui n'ont pas la délicatesse de se présenter quand ils arrivent comme des petits nouveaux. Moi, étant un vétéran, je pense que je subis davantage cela. Tout est concentré contre Duval, l'ennemi à abattre parce qu'il est numéro un. »

La querelle entre les deux chroniqueurs dépasse évidemment les murs de *110 %*. On peut néanmoins imaginer que les débats de l'émission ont servi de toile de fond à leurs ressentiments personnels. Lorsqu'on lui demande de revenir sur ses premières apparitions au show, Jacques Duval en parle avec amertume. Bien qu'il ait été flatté qu'on pense à lui, il déplore que les débats aient trop souvent dérapé. « Il y avait souvent une haine qui se ressentait de la part de l'individu assis devant vous, dit-il. On sentait que des gens ne pouvaient pas se blairer. »

Pour sa part, Philippe Lagüe ne s'explique toujours pas la présence de Duval sur le plateau de *110 %*. Le chroniqueur qui écrit aujourd'hui au *Devoir* attaque de nouveau son rival, citant le principe de Peter pour qualifier le travail d'analyste de F1 de Jacques Duval. Selon ce principe satirique, toute personne grimpe dans la hiérarchie jusqu'au moment où elle se révèle inapte à occuper ses fonctions. La remarque de Lagüe n'a donc rien du compliment. « En venant parler de sport automobile à *110 %*, Duval atteignait son niveau d'incompétence. Je l'ai côtoyé, j'ai travaillé pour lui et ça fait des années qu'il ne s'intéresse plus aux courses. Il n'avait pas les connaissances pour aller en débattre. Quand il se permettait de cracher sur Jacques Villeneuve, il n'avait aucune idée de quoi il parlait. »

Que voilà une affirmation foncièrement méchante, fausse et totalement gratuite ! Lagüe semble oublier que Duval a agi comme analyste, de façon fort compétente, pendant des années sur les ondes de Radio-Canada, tant sur la F1 que sur la formule Indy. Et dans un français châtié toujours précis et impeccable. D'ailleurs, en exprimant ses réserves face à Jacques Villeneuve,

Duval se faisait le porte-parole d'un grand nombre de Québécois qui ne portent pas Jacques Villeneuve dans leur cœur ou qui ne le tiennent pas en haute estime. On peut ne pas partager ce point de vue — et j'en suis : Villeneuve demeure à mes yeux l'un des plus grands champions québécois sur la scène internationale —, mais ce n'est pas une raison pour vilipender celui ou ceux que Villeneuve déçoit.

Lagüe préférait Pierre Lecours à Jacques Duval

Fait surprenant, Philippe Lagüe va même jusqu'à affirmer que Pierre Lecours était mieux placé que Jacques Duval pour commenter le sport automobile. Cela dit, le chroniqueur, à l'instar de nombreux débatteurs, ne portait pas Lecours dans son cœur. Il faut savoir que le reporter affecté au sport automobile pour le *Journal de Montréal* en menait large dans son quotidien où il avait l'habitude de ne ménager personne. « C'est un colosse, quelqu'un d'intimidant, qui écrivait pour le journal le plus lu et le plus puissant, et qui s'en est servi à satiété, note Lagüe. Probablement que les gens l'auraient respecté s'il avait eu du talent. C'était un journaliste très, très, très ordinaire et je suis poli. »

Rendant à César ce qui lui revient, Lagüe souligne que la plume de Jacques Duval était de loin supérieure à celle de Lecours. Lorsque l'occasion d'en découdre avec le journaliste du *Journal* s'est enfin présentée, Lagüe dit avoir ni plus ni moins réalisé un fantasme. Il rêvait du jour où il affronterait celui qu'il tenait en si basse estime. « Je rêvais de le planter, ce que j'ai fait à deux reprises. » S'il ramassait à nouveau Jacques Duval lors d'un débat, Philippe Lagüe ne referait pas subir le même traitement à Pierre Lecours, parce que l'affront qu'il lui a fait subir était personnel. Le journaliste ne se souvient pas de la première altercation, mais il se rappelle très bien le second débat où il a dit ses quatre vérités à Lecours. « Il s'en était pris à Réjean Tremblay, qui n'était pas là ce soir-là à *110 %*, raconte-t-il. Pierre était bien intimidant, mais ce n'était pas le plus brave. Qu'on aime ou non Tremblay, je trouvais que Lecours était bien mal placé pour lui faire des leçons journalistiques. Je le lui ai dit de façon virulente. »

Ne s'en laissant pas imposer, Lecours a répliqué avec une arme bien puissante dans le milieu des médias : le statut professionnel. Syndiqué au *Journal de Montréal*, où la convention collective faisait l'envie de tous les quotidiens du pays — avant le lock-out décrété en janvier 2009 —, Pierre Lecours avait fait allusion au renvoi de Philippe Lagüe de *La Presse*, où le chroniqueur œuvrait comme pigiste. Piqué, Lagüe a rétorqué sur le même terrain. « J'avais répondu que la seule raison pour laquelle il ne pouvait pas perdre sa job était sa convention collective en béton armé. » Ces propos ont toutefois nui à Lagüe, qui soutient avoir été tassé par la suite. Il n'est revenu à *110 %* que lorsque Michel Villeneuve animait, durant l'été. Quant à Pierre Lecours, tellement de débatteurs ont déploré son attitude hargneuse et non conviviale qu'il a lui aussi été progressivement mis au rancart.

La guerre des sandwiches pas de croûte

Au prorata, c'est sans doute dans le groupe de chroniqueurs automobiles invités à *110 %* que le plus grand nombre de conflits de personnalités a été enregistré. La situation précaire des journalistes affectés à ce beat — la plupart sont des pigistes — et la dimension modeste du marché québécois pourraient expliquer les nombreux glissements les impliquant. Bertrand Godin n'est pas en reste, lui qui a été au cœur de flamboyantes disputes avec Réjean Tremblay. Le columnist de *La Presse* devait amener une bonne dose de sérieux et de rigueur dans les débats, mais il a tout de même été impliqué dans l'un des plus célèbres dérapages de l'histoire de *110 %*. Cela remonte à l'époque où le journaliste couvrait les activités de Godin en Formule 3000, à la fin des années 1990. Tremblay suivait le coureur dans les différents circuits et visiblement, l'expérience ne l'enchantait pas. Il vaut la peine de citer à nouveau ce que Tremblay déclarait alors : « Pendant deux ans, j'ai passé mes samedis à niaiser jusqu'à 18 heures. Croyez-moi, il y a des affaires plus agréables dans la vie que de regarder une course de Formule 3000 et de retourner ensuite sur le circuit poser des questions à Godin qui avait terminé 22e. » Est-ce que le pilote a fini par réaliser que Tremblay couvrait ses performances à contrecœur ? Toujours est-il qu'il s'est présenté un soir à *110 %* muni d'un plateau de petits sand-wiches sans croûte, ce qui fit complètement dérailler le débat. Mais pour comprendre comment un plateau de bouffe a pu amener un tel résultat, il faut revenir quelque peu en arrière. Le pilote nous éclaire sur les prémisses de cette engueulade.

Alors que Jacques Villeneuve — eh oui, encore lui — évoluait pour l'écurie BAR, Pierre Durocher du *Journal de Montréal* avait demandé à Godin de commenter l'attitude et les performances de l'ancien champion du monde. Lorsqu'il se confiait à Réjean Tremblay dans *La Presse*, Villeneuve critiquait souvent son personnel et sa voiture pour expliquer ses piètres résultats. Godin estimait que Tremblay provoquait le pilote de F1 avec des questions qui l'amenaient à se plaindre, plutôt que de se concentrer à chercher des solutions pour améliorer son sort. Durocher a transcrit les propos de Godin dans un article titré « Jacques doit arrêter de chialer ». « J'avais dit au journaliste que Jacques avait le talent pour redresser la situation et qu'il devait se considérer chanceux de gagner des millions pour faire ce qu'il aimait le plus au monde », se rappelle Bertrand Godin.

Réjean Tremblay, qui couvrait alors le Grand Prix d'Espagne, n'a pas digéré la teneur du reportage de son confrère du *Journal de Montréal*. Le lendemain, il a pondu une chronique portant le titre « Ils doivent être frus », en parlant de Godin et de Villeneuve. « Réjean a écrit que j'avais manqué mon entrée en Formule 3000 et que je devais être frustré. C'était de l'injustice ! Il avait profité de sa tribune pour régler ses comptes. » La plupart des observateurs pensaient que Bertrand Godin allait se dégonfler et ne pas répliquer au vétéran chroniqueur de *La Presse*. Même Bertrand Raymond croyait qu'il allait abdiquer. C'était toutefois mal connaître le petit pilote… et la volonté de *110 %* de profiter de la polémique. Éric Lavallée a approché Godin le jour même pour le convier à l'émission. « Paul m'a demandé ce que je pensais du texte de Réjean. J'ai répondu qu'il n'avait pas été capable de se payer un repas au restaurant et qu'il avait fait du *lichage* de derrière pour avoir des sandwiches. » Voilà donc l'origine de cette célèbre querelle alimentaire.

Le *columnist* ignorait tout de ces propos lorsqu'on l'a invité à débattre à *110 %* à son retour d'Espagne. Au début de l'émission, Tremblay a visionné le fameux passage sur les sandwiches lancé en ondes deux jours plus tôt par Godin. La réaction a été instantanée. « J'ai vu une goutte perler sur son front », dit le pilote. Le coureur automobile réservait une autre surprise à Tremblay. Il avait dissimulé sous la table un plat de sandwiches sans croûte qu'il a offert au chroniqueur de *La Presse* encore sous le choc de l'extrait. « Vous aimez ça, venir manger dans les écuries, alors j'ai apporté de la nourriture », a lancé Godin. D'apparence innocente, ces propos teintés de sarcasme allaient enflammer Réjean Tremblay. Humilié, le *columnist* a répliqué : « Si tu penses que c'est le plat de pâtes à 2.25 $ qui m'attirait dans les écuries, tu te trompes royalement. » Puis, le débat a explosé. Le pilote a reproché au journaliste de nuire à l'image de Jacques Villeneuve avec ses questions insidieuses. Tremblay a été piqué « au plus profond de sa peau », soutient Godin. « Mon but n'était pas de lui faire mal. Je voulais simplement lui montrer que, moi aussi, j'avais une tribune à *110 %*. Sa *Presse* avait beau être populaire, mais moi aussi je pouvais dire des conneries. »

Selon le pilote, Tremblay lui en a longtemps voulu, mais les hostilités ont cessé depuis. Le *columnist* en parle aujourd'hui sans s'emporter, mais sur le coup il était littéralement hors de lui. « Éric Lavallée m'a montré un extrait de l'émission par la suite et j'avais vraiment des yeux méchants, dit Réjean Tremblay. J'ai reparlé à Bertrand par la suite, c'est un jeune homme bien. Il a besoin des médias pour vivre, et je savais qu'en écrivant sur lui dans *La Presse*, même s'il finissait loin du premier rang, cela l'aidait à trouver des commanditaires pour compléter sa saison. »

Malgré tous les excès — et ils furent nombreux — impliquant les chroniqueurs automobiles, les trois débatteurs gardent un souvenir somme toute positif de leur passage à *110 %*. Du lot, c'est peut-être Philippe Lagüe, qui a eu les meilleurs mots pour la défunte quotidienne de TQS. « Ça a été une très belle expérience, dit-il. Oui, il y a eu des dérapages, mais c'est souvent le propre de ces émissions-là. À ceux qui doutent de la

pertinence du show, rappelez-vous que ça a fait école et que
Radio-Canada et RDS ont eu leur émission semblable. Quant
au concept de *110 %*, il a duré 10 ans, donc il ne devait pas être
mauvais. »

Chapitre 11

Fans de *110 %*

Indéniablement et indiscutablement, *110 %* a vite rejoint un public large et étendu, atteignant au fil des ans des cotes d'écoute plus que respectables à une heure d'antenne habituellement faible en termes d'auditoire au Québec. Dans ses meilleures années, il n'était pas rare de retrouver plus de 200 000 téléspectateurs syntonisant le Mouton Noir à 23 heures régulièrement, faisant ainsi mourir d'envie les autres réseaux qui ont vite concédé qu'ils ne pouvaient rivaliser avec le succès de cette émission en train de devenir un phénomène incontournable dans le paysage télévisuel. Qui plus est, ce public ne se limitait pas aux seuls amateurs de sport. *110 %* ratissait large, comme on dit : hommes et femmes, jeunes et vieux, ouvriers et intellos, Québécois de toutes origines, tous en quelque sorte prenaient plaisir aux débats de fin de soirée qui allaient alimenter les conversations le lendemain matin durant les pauses café. À preuve les nombreux témoignages reçus récemment et dont voici un échantillonnage représentatif des opinions partagées par plusieurs à la suite du retrait des ondes de cette émission culte [1].

---

1. Note de l'éditeur : pour des raisons d'espace, nous avons choisi d'enlever certaines sections des courriels reçus. Nous croyons tout de même avoir respecté l'esprit des messages.

Bonjour M. Poulin,

J'ignore comment vous allez procéder pour la section des fans, j'ai 21 ans, mais j'ai quand même commencé à écouter cette émission vers les années 2000. Quand j'ai découvert Gabriel Grégoire, honnêtement je me demandais d'où venaient toutes ses idées un peu loufoques, je le trouvais vraiment étrange, mais éventuellement, plus tu apprends à le connaître, tu réalises qu'il n'est pas nécessairement tant dans le champ que ça. C'est toujours intéressant de connaître son opinion qui sort de l'ordinaire.

Un autre souvenir, au sujet de Michel Bergeron, c'est en deux émissions. Dans la première, il disait que même si Huet avait accordé cinq buts, il avait connu un bon match ; quelques jours plus tard, en parlant du même match, il disait qu'il n'était pas d'accord que Huet avait joué un bon match parce qu'il avait accordé cinq buts. J'ai toujours adoré cette émission très divertissante, rien de mieux pour passer un bon moment, et tout oublier avant de dormir.

Martin Soucy

Bonjour M. Poulin,

Je viens de vous entendre à CKAC parler de votre futur livre concernant *110 %*. J'ai presque 29 ans, je suis un immigrant, j'ai quitté la France pour Montréal quand j'avais 20 ans. À l'époque, *110 %* était la seule émission spécialisée qui m'a fait découvrir le hockey et tout ce qui tourne autour du hockey à Montréal, dans le sens où je n'avais pas accès aux matches du Canadien à la télé et que j'allais rarement au Centre Bell.

C'était aussi un nouveau genre d'émission pour moi, car, même si, depuis le temps, elles se sont développées là-bas, les rares émissions de sport en France avec un format analyse/débat étaient assez complaisantes, rarement critiques.

Les personnages de *110 %* sont colorés, engagés, parfois excessifs, mais la plupart ont, je pense, un bon fond. Ceux qui m'ont marqué le plus sont Michel Villeneuve, Réjean Tremblay et Serge Amyot. J'ai souvent entendu que c'était une émission stupide ; je rectifierais en disant que parfois ça tombait dans

l'excès (ce qui en faisait aussi son charme), non dans la stupidité. Pour moi, la stupidité à la télé, c'est quand on prend le téléspectateur comme quelqu'un ayant un QI inférieur à dix,
comme *Loft story* et compagnie… Je suis maintenant détenteur
d'un abonnement au Centre Bell, je suis resté fidèle à *110 %* et
au concept. *L'antichambre* n'est pas une mauvaise émission,
mais on sent toujours que les débatteurs gardent une certaine
retenue du fait que RDS a un contrat avec le Canadien. Bonne
chance dans vos démarches et j'ai hâte de lire le livre !

Nicolas Lefebvre

Bonjour,

J'ai suivi l'émission *110 %* depuis les débuts avec Paul
Rivard jusqu'à Jean Pagé. J'ai beaucoup aimé lorsqu'on invitait
Ti-Guy Émond et qu'on ne lui donnait pas de chaise, car il se
levait tout le temps et gesticulait beaucoup en parlant. À chacune
de ses présences il n'avait jamais de chaise et il parlait très, très
vite, ce qui est très drôle. Michel Villeneuve, avec son côté arrogant, était toujours à l'opposé de l'opinion de chacun, ce qui donnait lieu à de bons débats. Serge Amyot qui remettait toujours
en question les débatteurs, j'aimais bien cela. Gabriel Grégoire
avec ses opinions bien tranchées et ses statistiques était un bon
débatteur. Un débatteur qui m'a surpris et que j'ai appris à aimer
au fil des années est Éric Hoziel. Il était un comédien, mais je ne
savais pas qu'il connaissait bien le sport et il était capable de bien
débattre avec les journalistes et chroniqueurs. Le sens du spectacle de Jean-Charles Lajoie est vraiment très intéressant. Il y a
toujours une touche d'humour bien placé dans ce qu'il dit. J'ai
bien hâte de lire votre livre et de voir derrière les coulisses de
110 %, car parfois on pouvait sentir l'animosité entre certains
débatteurs. […] Bonne chance et au plaisir de lire, ce livre !

Rodney Nemours

Bonjour monsieur Poulin,

Ce serait un immense honneur pour moi d'être cité dans
votre livre… C'est certain que je vais me le procurer dès sa
sortie… J'écoute *110 %* depuis les tout débuts avec Paul Rivard.

J'ai été charmé par le concept dès ma première écoute. C'est bien simple, c'est comme si on se voyait quand on entre à la job le matin. Les mêmes débats et les mêmes préoccupations sportives. Le fait que plusieurs invités pouvaient parler en même temps donnait parfois des dérapages, mais également des bonnes discussions.

Quand Paul est parti pour être remplacé par Jean Pagé, j'ai eu des doutes. Monsieur Rivard — et son rire — nous quittait pour un homme de Radio-Canada. J'ai appris à connaître monsieur Pagé et il s'est glissé dans le moule comme si de rien n'était. Mon préféré était sans aucun doute Ti-Guy Émond quand il parlait de Jacques Villeneuve avec tant d'émotion. Cela ne veut pas nécessairement dire que je partageais toujours ses opinions par contre.

Je me souviens d'avoir écouté une bonne dizaine de fois la passe ou il traite Villeneuve de pire loser de l'histoire. La caméra n'était plus sur lui et on l'entendait encore à vive voix s'écrier « C't'un loser ». J'enregistrais toujours l'émission pour l'écouter seul, car ma conjointe n'était plus capable d'entendre plus que le générique (qui était superbe, en passant). J'aimais bien aussi Michel Villeneuve même si, respectueusement, son ego était parfois agaçant. Un autre que j'affectionnais était Gabriel Grégoire. *Gabychou* pouvait faire déraper un débat comme personne. Parfois avec raison, mais la plupart du temps totalement hors contexte. Qu'on l'aime ou pas, il ne donnait jamais sa place.

La prochaine catégorie est dure à classer. Il y a les Michel Bergeron, Jean Perron, François Gagnon, Pierre Rinfret et Jean-Charles Lajoie. *Bergie* pouvait dire quelque chose et se contredire lui-même le lendemain. Perron, lui, a arrêté sa vie en 1986. Tout ce qu'il dit réfère à cette année-là ou à Bob Gainey. Gagnon apportait souvent des bons points de vue et avait son style. Rinfret pouvait être violent dans ses propos envers ses comparses. J-C est arrivé sur le tard et il est un être coloré que j'aime bien. Ceux que j'ai moins aimés au fil des ans. Pour commencer : Éric Hoziel. Je dirais trop aveuglé par le CH. Jean-Michel Dufaux est un artiste que j'aime bien, mais à *110 %* ça ne marchait pas. Marc Bureau, un gentleman, mais qui manquait de contenu malgré ses années dans la NHL. Je n'écoute plus religieusement le nouveau format *L'attaque à 5*. Je ne comprends pas comment un diffuseur peut changer un concept qui était numéro un dans son créneau depuis des lunes et des lunes.

Merci à vous, monsieur Poulin, d'écrire un livre sur *110 %*... J'ai vraiment hâte de l'avoir en main en espérant qu'il puisse être prêt pour le Salon du livre 2011.

François Ethier
Pointe-aux-Trembles

En résumé,

Je ne me souviens pas d'avoir vu un groupe de débatteurs parler tous en même temps comme cela pouvait se faire à cette émission : cacophonie sportive en direct !

Mais, je dois l'avouer, c'était un régal de les entendre et de les observer, surtout les perronismes de l'inventeur lui-même, j'ai nommé Jean Perron ! Et que dire de Gabriel Grégoire avec ses yeux sortis de la tête et sa posture toujours imposante !

Merci bien et bon livre !
Jocelyn Tremblay
Brossard, QC

Bonjour M. Poulin,

J'ai écouté votre entrevue à CKAC, jeudi dernier, avec Jacques Thériault à propos de votre livre sur *110 %*. Je crois que ça promet ! Voici ce que j'aurais à dire sur votre chapitre sur les fans.

C'était l'époque où TQS, dit le « Mouton Noir de la télé », avait lancé la formule des débats lors des *Nouvelles TQS*. Cela pouvait être bon enfant, amusant et controversé. Mais pour l'amateur de sports que je suis, *110 %* était mon arrêt obligé avant d'aller me coucher. Michel Bergeron et Michel Villeneuve étaient de sacrés débatteurs. Le premier, par ses connaissances sur l'intérieur d'un vestiaire, le deuxième, par le personnage un tantinet arrogant qu'il s'était créé.

Le lendemain, mes collègues de travail et moi nous faisions un point d'honneur de commenter les analyses ou d'analyser les commentaires émis la veille. Notre directeur se joignait à nous, car, pour lui, *110 %* était son émission. Vous dire le bonheur que nous avons eu durant toutes ces années à parler de Théo, du grand Mario, et de nos Expos avec notre patron ! Nos conversations ont rendu notre relation de travail de « très agréable » à « super agréable ». Nous arrivions à oublier qu'il était notre supérieur. Quel plaisir !

Certes, vous avez été critiqué, on a déploré la (sympathique) cacophonie ambiante plusieurs soirs ou quelques dérapages longuement débattus dans notre salle de travail. Et pourtant les autres réseaux n'ont guère trouvé mieux que de vous imiter. Mais comme le vieil adage le dit : « Souvent imité, jamais égalé. »

Bonne chance et longue vie !

Claude Tousignant

Laval

Bonsoir,

J'ai aimé *110 %* et *L'attaque à 5*, mais combien de fois je cessais de l'écouter parce que tout le monde parlait en même temps et que l'émission finissait sans qu'on ait eu des réponses à des sujets qui auraient été tellement intéressants.

Plusieurs de mes amis étaient du même avis que moi et c'est pour ça qu'on n'est pas surpris de la fin de l'émission. Je crois qu'ils ont perdu beaucoup d'auditoire à cause de leurs discussions sans fin.

Claire Pageau

Québec

110 % fut pour moi l'émission à écouter tous les soirs avec mon père lors de mon adolescence. Ce fut notre tradition de regarder Michel Villeneuve lancer les débats contre Michel Bergeron et Jean Perron, et Jean Pagé, débordé par les événements. Au départ, j'écoutais l'émission parce que je trouvais que c'était un vrai cirque. Avec le temps, j'ai appris à aimer les personnages et les discussions mouvementées ! Le départ de Michel Villeneuve fut un deuil pour moi. Voilà !

François Rousseau

Salut,

Bravo pour faire un livre sur *110 %*. Je suis un fan de *110 %*, mais le problème de *110 %* est double :

1. il y a trop de fanatiques du Canadien ;
2. l'émission couvre l'association Est, mais presque pas l'Ouest.

J'ai l'air critique, mais c'est la meilleure émission de *parler sport* en français.

Bravo,

Alain Bergeron

Québec

Bonsoir M. Poulin,

Je demeure à Rimouski et j'écoute cette émission depuis le début avec toutes ses différentes appellations. Ce que je ne comprends pas, c'est quand une émission est intéressante et écoutée, il y a toujours un *smart* dans la direction qui décide de la *flusher*. Ça fait *broche à foin* pas à peu près quand on pense que *La zone* et *L'antichambre* ont recruté des anciens de *110 %*.

On va aller voir ces postes mis en tutelle par le CH pour camoufler l'incompétence de gestionnaires francophobes comme Gainey et Timmins qui préfèrent choisir des étrangers plutôt que d'opter pour des petits gars comme Lapierre qui se donnent corps et âme pour l'équipe. Ce qui me peine le plus est que Gauthier semble avoir la même ligne de pensée. J'espère que les Molson vont redresser ça.

Pierre Albert

Rimouski

Bonsoir M. Poulin,

Je viens d'écouter la dernière de *L'attaque à 5*. Je vous écris quelques mots concernant *110 %*.

J'ai 54 ans et je suis un fan tatoué du Canadien.

Cette émission était pour moi comme une drogue. Il n'avait rien qui aurait pu me faire rater le rendez-vous de fin de soirée avec cette émission. Il y avait toujours des débats enlevants, même si parfois tout le monde parlait en même temps. Cette émission ne sera jamais copiée, et ce qui ressemble un peu à cette émission n'est qu'une pâle réplique.

Je vais acheter votre livre et je suis certain que je vais apprendre de belles choses, et me remémorer mes fins de soirée.

Bonne chance avec votre livre.

Jacques Brouillette

M. Poulin,

Je suis très heureux que vous écriviez un livre sur cette belle émission qui meublait merveilleusement mes fins de soirées. Je suis un auditeur de la première heure et pour moi cette émission était un *must*. Mes couchers n'étaient pas les mêmes lorsque je n'avais pas eu « ma dose » de *chialeux* (nom que j'avais donné aux débatteurs). La formule sans prétention de gars qui discutent de hockey avec une passion palpable était du bonheur pour mes oreilles.

J'aimais surtout quand il y avait des échanges « musclés » sur des visions contradictoires. J'ai aussi apprécié la partie où nous pouvions partager notre opinion par le biais du blogue, j'y ai participé régulièrement, et je me sentais un peu comme un débatteur moi aussi. Bref, je ne comprends pas pourquoi on arrête une formule qui fonctionne bien ! Faudra que je trouve autre chose ?

Dommage, vraiment dommage !

Richard Juteau

Bonjour M. Poulin,

Je m'appelle Roberto Linhares. Étant un téléspectateur québécois de première génération (avec des parents immigrants), *110 %* m'a beaucoup appris de la culture québécoise. Pour cette raison, j'aimerais bien faire partie de votre livre. Alors, voici mon commentaire :

Immigrant du Portugal et de l'Italie, ma famille n'est pas québécoise. De plus, mes amis sont généralement anglophones et ne comprennent pas la culture québécoise. Étant un Québécois de Montréal de première génération, *110 %* m'a enseigné la culture de notre province pendant neuf ans. Je n'oublierai jamais les cinq nuits par semaine où j'enregistrais chaque épisode pour être certain de ne pas manquer un mot.

Pendant une décennie, avec mon père et mon frère, je peux même dire qu'on a pris des leçons de hockey, de français et de vie avec vous. J'aimerais bien représenter tous les immigrants et les Québécois de première génération quand je dis : MERCI d'avoir partagé votre culture magnifique avec nous. À cause de vous, nous l'avons adoptée comme la nôtre.

Roberto Linhares
Laval

Mon meilleur souvenir de *L'attaque à 5* ou de *110 %* reste celui de J-C Lajoie. Et pas pour les bonnes raisons. Mise en contexte : printemps 2010, le CH vient de perdre la partie 6-5 (en prolongation) contre Washington, après avoir pris les devants 4-1. La victoire lui aurait permis de revenir à Montréal avec une avance de 2-0. Halak paraît chancelant sur les deux derniers buts. À la troisième partie, les Capitals marquent trois fois en deuxième période pour chasser Halak du match. Les Capitals l'emportent finalement 4-2. Pendant *L'attaque à 5* ce soir-là, Marc de Foy déclare : « Si on sous-entend que Carey Price va être devant le filet pour le prochain match, est-ce que ça veut dire que Halak a disputé son dernier match à Montréal ? » Et voici la perle de Jean-Charles Lajoie : « Oui ! Et bon débarras ! » On ne pourra pas gagner avec Halak… Bref, il commence une ritournelle anti-Halak de 30 secondes. Eh oui, on parle de la même personne qui a composé les paroles de la chanson insipide GoldHalak, sur un air de Goldorak. Comme girouette, il est difficile de faire mieux.

François Fortier

Bonjour M. Poulin,

La raison de mon courriel est pour dire *Salut* à mon émission préférée : *110 %*. Je suis un des premiers auditeurs, j'en suis presque sûr. Je me souviens que durant la semaine je n'invitais jamais personne chez moi après 10 h, car j'étais fixé devant la télé pour *110 %*, et, si quelqu'un arrivait à l'improviste, je lui disais : « T'es le bienvenu de rester, mais pas un bruit dans la cabane je regarde *110 %*, c'est tellement bon. » Les gens me répondaient souvent « Comment fais-tu pour regarder ça, ça fait juste crier » et je disais c'est le *beat* du hockey à Montréal c'est live, man. En passant, je ne crois pas que *110 %* soit terminé, c'est trop un bon concept d'émission pour mourir, alors longue vie à *110 %*

Luc Assad
Gatineau

Les débats non censurés de *110 %* reflétaient l'opinion et la couleur des Québécois. Avec son départ, les Québécois perdent un moyen rassembleur de s'exprimer. Merci pour les belles soirées.

Laurent Paradis
Drummondville

Monsieur Poulin,

Vous avez invité les téléspectateurs à vous écrire hier à l'émission *L'attaque à 5*, c'est ce que je fais. J'ai 49 ans, et depuis l'âge de 4 ans que j'écoute le hockey, au début avec une pauvre télé en noir et blanc avec des antennes. Mais que d'images je garde encore, le soir à 8 h, dans le temps avec René Lecavalier. J'ai toujours été une mordue du hockey. Tout cela pour dire que lorsque je me suis mariée, en 1986, nous écoutions tous les soirs Ron Fournier à la radio. C'était une joie que d'écouter tous les commentaires, mais lorsque Paul Rivard a débuté, suivi de Michel Villeneuve, et Jean Pagé avec *110 %*… Je me suis mise à écouter l'émission comme les gens écoutent un téléroman. Le comportement fait que nous aimons des gens et d'autres, moins. Mais ce rendez-vous de tous les soirs me captivait. Je dois avouer que lorsque Jean Perron était coach du Canadien de Montréal, ce n'était pas mon préféré…. il était si ennuyant à écouter en conférence de presse ! Un peu comme Alain Vigneault ou Therrien. Mais j'ai appris à l'aimer à l'émission, il connaît le hockey, il est sympathique et drôle avec ses expressions bien à lui. Il va me manquer !

Gabriel Grégoire, ce qui le rendait sympathique, c'est sa passion. On ne peut la lui enlever !

Marc Bureau : un joueur qui a des commentaires intelligents et qui défendait ses joueurs avec fermeté.

François Gagnon : je l'adorais. Lui aussi est un passionné et fin analyste. Il est toujours souriant et accepte les arguments des autres collègues.

Jean-Charles Lavoie : un emmerdeur de première que l'on a appris à aimer avec le temps, son vocabulaire coloré et ses expressions… Je trouve qu'à travers son arrogance, on découvre une passion certaine, et bravo s'il a gagné un concours, c'est tout à son honneur. Mais il ne peut en quelques mois atteindre le niveau des journalistes. Il a encore beaucoup à apprendre, mais disons que l'on va lui donner sa chance !

Pierre Rinfret : désolée ! Pas capable ! Mais je ne lui enlève pas ses compétences (s'il en a).

Jean PAGÉ : Je l'adore ! Ce qui fait de lui un animateur, un bon animateur, c'est qu'il ne prend pas toute la place comme Villeneuve le fait à *La zone*. Il respecte les invités, pose les questions qui représentent le « peuple », est ricaneur et sympathique. Son français est impeccable, ce qui est bien. Comme Richard Garneau dans le temps, j'adorais l'écouter.

Bravo à toute l'équipe, et je vais m'ennuyer énormément de cette émission quotidienne sur laquelle j'allais me coucher.

Bonne chance pour votre livre, et continuez votre bon travail !

Merci !

Martine Letirant

Bonjour M. Poulin,

J'ai vu la dernière émission de *L'attaque à 5* hier et, lorsque j'ai appris que vous invitiez les auditeurs à vous écrire, j'ai décidé de le faire. Sachez que, pour moi, *110 %* et *L'attaque à 5* auront été ma source d'informations sportives depuis les 8 dernières années (j'ai 17 ans). Chaque fois que je pouvais, je m'installais devant mon téléviseur et je mettais *110 %* et *L'attaque à 5* pour m'instruire de tout ce qui se passait dans l'univers du sport. [...] Mais, sans aucun doute, c'est la qualité des débatteurs qui a fait de *110 %*, et de *L'attaque à 5*, un franc succès auprès des Québécois. Chacun avait son style pour débattre, chacun avait une façon différente de voir la situation et, surtout, chacun apportait un petit quelque chose de particulier à cette émission, que ce soit des informations inédites, des réactions surprenantes ou bien un brin de folie et de magie. Mon débatteur préféré aura sans aucun doute été Jean-Charles Lajoie : la facilité avec laquelle il jouait avec les mots dans ses arguments, et la justesse de ses comparaisons avec tout plein d'aspects de la vie étaient frappantes. Mais il reste que mon moment préféré aura été le tournoi organisé il y a de cela quelques années pour couronner le meilleur débatteur et où chacun avait offert une performance incroyable : une soirée inoubliable. Bon succès pour votre livre et soyez assuré que je vais m'en procurer un à sa sortie dans mon coin.

Claude Thériault

Bonjour M. Poulin,

Lors de votre apparition à la dernière émission de *L'attaque à 5* qui a été diffusée hier soir, vous avez demandé aux auditeurs de partager avec vous nos meilleurs souvenirs concernant cette émission, souvent copiée, mais jamais égalée. Voici mon histoire.

[...]

Au début, j'écoutais *110 %*, sur une base irrégulière et d'une oreille distraite tout en lisant ou en faisant autre chose. L'émission était un bruit de fond pour m'empêcher d'entendre le silence. Quand tout le monde se mettait à parler ensemble je coupais le son, quelquefois au complet ou je changeais de station.

Mais plus les semaines avançaient, et plus je devenais accro à cette joyeuse bande de « grandes gueules qui possèdent toutes les solutions aux problèmes du CH ». [...] Les années ont passé puis je suis devenu un fidèle auditeur de *110 %* (et sa suite, *L'attaque à 5*).

Durant ces années d'écoute assidue, j'ai lu ou entendu plusieurs propos désagréables à propos des débatteurs et des sujets traités par cette émission. Souvent quand les journalistes « intellectuels » parlaient de cette émission de télévision c'était souvent du haut, du très haut même de leur savoir. Très souvent, leurs propos étaient dans des termes peu élogieux envers l'émission, ses débatteurs et leur public.

[…] je me suis questionné, plusieurs fois, afin de trouver ce qui m'attire dans cette émission qui est (n'ayons pas peur des mots) plus cacophonique que mélodieuse à l'oreille. Après mûre réflexion, je pense avoir trouvé ce qui m'attirait à écouter cette émission contre vents et marées.

Dès l'âge de 18 ans, je me suis mis à fréquenter une taverne du Vieux-Longueuil, la taverne Vincent, pour ne pas la nommer. […] Au début j'étais seul à ma table puis, avec le temps, on pouvait être, cinq, dix, voire même 15 personnes, attablées ensemble. On discutait de tout et de rien, devant une ou deux petites bières. […] Nous débattions nos points de vue, souvent différents, avec ardeur. À un point tel que notre serveur était aussi notre modérateur. […] Ce groupe de débatteurs était composé de gens provenant de toutes les couches de la société. Il y avait des enseignants, des déménageurs, des étudiants, des ouvriers, etc.

Quelques années plus tard, j'ai joint les forces de l'ordre. J'ai été policier durant 32 ans, dont 25 à la section des enquêtes criminelles. Là aussi, nous avions nos débats sur un point de droit, une manière de faire ou tout simplement comment conduire un dossier à sa conclusion. Là aussi, le modérateur (notre patron) sortait de son bureau pour nous faire baisser le ton et relancer la conversation sur un autre point qui était « sa vision » à lui du dossier. En y pensant encore un peu plus, c'était la même situation qui recommençait aussi lors des assemblées syndicales.

Bref, pour résumer, ce genre de confrontation ou de joute verbale a toujours été une réalité dans ma vie, que ce soit dans le cadre de mon travail, lors des réunions syndicales ou encore, lors des réunions festives avec mes camarades de travail.

[…] Le concepteur de l'émission, ainsi que le modérateur et les débatteurs, ont réussi à reproduire la vraie vie. Les vraies conversations entre amis ou entre factions opposées. Tout le monde parle ensemble et, comme dans la vraie vie, celui qui crie le plus fort n'a pas toujours raison.

[…] Il y a quelques années, alors que je terminais de souper à la taverne Magnan de Montréal avec mes confrères de travail, quelques minutes avant que nous quittions, nous avons vu Jean Pagé arriver au volant de sa moto. Il est entré dans la taverne et, immédiatement, tous les occupants des tables voisines de la sienne se sont mis à parler avec lui. Il était assis, souriant, à l'aise, et répondait aimablement et patiemment à tous les gens qui le questionnaient sur son sujet fétiche, soit le CH. Autant monsieur Pagé a l'air agréable et affable au petit écran, autant il m'a paru vrai et conforme à l'idée que je m'étais faite de lui par le biais du petit écran. Il est, j'en suis absolument certain, pour une grande part, responsable du succès qu'a connu cette émission au fil des ans.

J'espère que mes propos vous seront d'une certaine aide pour la rédaction de votre livre.

Salutations et au plaisir.

Pierre Bergeron
St-Fabien-sur-Mer

Bonjour Daniel,

À la suite de l'émission d'hier où tu demandais aux auditeurs de t'envoyer leurs anecdotes, j'ai pensé t'écrire ceci. Je n'ai pas d'anecdote précise, cependant j'étais un fidèle auditeur depuis les tout débuts avec Paul Rivard. J'ai donc fait un petit portrait personnel des principaux débatteurs qui ont fait la pluie et le beau temps à *110 %*. Si ceux-ci t'intéressent, et bien tant mieux !

Jean Pagé : un « gars de la gang ». Il aimait ce qu'il faisait, il était attaché à ses débatteurs, il les aimait. Un très bon animateur avec un français impeccable.

Jean Perron : ah ! Jean Perron ! Il me faisait rire avec ses analyses sérieuses, en s'inclinant vers l'arrière sur son dossier de chaise comme s'il allait vous sortir la date exacte de la fin du monde. Ce n'était pas un fin analyste de la *game*, ni un gars de statistiques, mais très intéressant dans ses anecdotes de coach. Les débatteurs ne le prenaient pas trop au sérieux, mais lui, oui.

Michel Bergeron : celui qu'on a tellement détesté du temps des Nordiques, et celui auquel nous sommes le plus attachés aujourd'hui. Du hockey, il en mange, sa passion lui sort des tripes, il est tellement bien dans ce qu'il fait !

Jean-Charles Lajoie : j'ai vraiment appris à l'aimer parce qu'au début, Dieu (il va aimer ça...) qu'il me tapait sur la noix ! Mais quel showman extraordinaire ! Il s'exprime très bien, est très coloré, prend beaucoup (!) de place ! C'était de le voir se tourner de côté, le visage empli d'interrogation, fasciné par les propos de Jean Perron...

Michel Villeneuve : ce que je me demande vraiment, comment est-il dans la vie de tous les jours ? Est-il aimé de la confrérie ?

Pierre Rinfret : je l'adorais. Lui aussi un très bon showman ! Quelles mimiques il faisait avec ses grosses lunettes noires. On aurait dit un directeur d'école. J'étais souvent d'accord avec lui, on lui souhaite beaucoup de *straight flushs* !

Gabriel Grégoire : que dire de plus ! M. Ste-Martine est tout un numéro ! Il vous sortait des analyses (avec feuilles et crayon...) venant directement de la planète... Grégoire ! Je n'étais pas souvent d'accord avec lui, mais ça reste qu'il a l'air d'un maudit bon gars dans la vie de tous les jours.

Daniel Poulin : le mal-aimé de *110 %* ! On aurait dit que chaque fois qu'il ouvrait la bouche, quand il réussissait à le faire, il se faisait attaquer de toutes parts par les autres débatteurs. Honnêtement, je ne comprends pas pourquoi, il apportait toujours de bons points. S'exprimant dans un excellent français, j'aurais aimé en voir plus de lui.

Richard Labbé : le journaliste de *La Presse*. Fin analyste, il captait les subtilités du jeu et de ce qui se passe autour, et nous le rendait bien. Calme, il n'élevait pas la voix, mais il savait défendre.

Un petit mot sur Évelyne : c'est sûr que sa présence n'était pas indispensable, mais elle était rafraîchissante, s'exprimait très bien, et, entre vous et moi, elle est très belle.

Merci, Daniel, de nous donner l'opportunité de nous rappeler de bons souvenirs de *110 %* ! J'aimais bien finir mes journées en regardant l'émission. Je suis très déçu et peiné par la disparition de cette « émission culte ». Dans mes rêves les plus fous, j'ose espérer que les propriétaires changeront leur décision, car nous étions beaucoup de monde à vous suivre. Une chose sûre, j'achèterai ton livre et le lirai avec beaucoup d'intérêt.

Merci beaucoup !

Louis Archambault

Laval

Comment allez-vous ?

Hier, je regardais la dernière de l'émission *L'attaque à 5*, comme toujours, ce fut une émission vraiment intéressante, mais un peu tristounette, je ne peux pas croire que les frères Rémillard aient décidé d'enlever cette émission.

Lors des matchs de hockey, c'était vraiment enlevant de voir les débatteurs donner leurs opinions. De mon salon, je m'adressais à eux comme si je faisais partie du panel, ma fille s'en mêlait aussi.

Lorsque vous êtes arrivé sur le plateau, j'étais tout ouïe, vous disiez être en train d'écrire un livre sur *110 %* et vous recherchiez des témoignages, je me suis empressée de prendre en note votre adresse courriel, car voyez-vous, j'en ai tout un témoignage à vous faire… À la deuxième année de *110 %* avec Paul Rivard, je fus invitée à participer à l'émission afin de parler de ma passion pour le Canadien de Montréal, qui m'a amenée à me faire tatouer le CH en forme de bracelet autour du bras gauche (côté cœur), avec au-dessus et en dessous de chaque CH, le numéro de mes joueurs préférés de l'époque ; j'ai les numéros 9 et 10 pour Maurice Richard et Guy Lafleur. Je ne vous raconterai pas comment m'est venue cette passion, ce serait une trop longue histoire.

Au revoir, M. Poulin

Diane Laporte

Bonjour,

J'aimerais seulement écrire quelques mots pour dire bien sûr que je suis déçu de la fin de cette émission, mais aussi que, malheureusement, je n'ai pas pu être spectateur de cette émission à partir des débuts, car j'ai maintenant 24 ans et j'étais trop jeune à l'époque pour écouter *110 %* et je devais aller me coucher. Mais dès que j'ai pu l'écouter, c'est devenu pour moi un incontournable. Peut-être l'idée vous a-t-elle été soumise, mais un DVD des meilleurs moments pourrait bien être une bonne idée. Mais en attendant, on va se procurer ce livre qui va nous rappeler des bons souvenirs.

Julien Binet

Bonjour M. Poulin,

Je vous ai écouté à *L'attaque à 5* vendredi et je voudrais vous donner mon commentaire sur *110 %*. Au début, je trouvais que les panélistes étaient plus intéressants, car plus expérimentés ; c'est pourquoi les autres postes les ont copiés. Même s'ils parlaient tous en même temps, ils étaient intéressants et nous assistions à de bons débats. Les Bergeron, Pedneault, Gagnon, Perron, de Foy, Tremblay, Villeneuve, Grégoire et bien d'autres, que d'expérience !

Je voudrais souhaiter bonne chance à monsieur Pagé ; il va sûrement trouver autre chose dans le même style, peut-être au nouveau poste de sports de TVA avec une équipe à Québec.

René Guertin

Grâce à 110 %, j'ai découvert un goût aux débats. J'aimais la passion que les experts démontraient. Le fait qu'ils s'y connaissent en sports, toutes catégories confondues. Merci *110 %* et *L'attaque à 5*.

Merci de nous donner la chance de nous exprimer.

Marc-David Pierre

Bonjour M. Poulin,

Mon mari et moi avons écouté la dernière (malheureusement) de *L'attaque à 5* vendredi dernier. Mon mari, surtout, les écoutait assidûment tous les soirs. Quant à moi, j'ai commencé à le faire quand j'ai arrêté de travailler l'an dernier. Je ne suis pas une très grande amateure de sport, mais j'aimais énormément les écouter, surtout quand ils se disputaient, assez pour que je les surnomme LES POULES (sans vouloir offenser). Ils me faisaient penser à un poulailler quand toutes les poules se mettent à jacasser en même temps. Nous les aimions beaucoup, et c'est très malheureux qu'ils aient annulé l'émission.

Au plaisir de vous lire,
Serge Guillotte et Edwina Carroll

Bonjour M. Poulin,

Cette émission représente monsieur et madame tout le monde, puisque le club de Hockey Canadien s'est éloigné d'eux.

C'est le pont entre un club qui représente davantage l'élite de la population et nous, qui regardons les matchs avec le réseau CBC et la radio, puisque nous n'avons pas assez d'argent pour payer RDS.

C'est une libération du langage de bois que nous entendons régulièrement dans les médias d'aujourd'hui.

C'est l'information que nous recherchons sur un club que nous voyons s'éloigner de nous un peu plus chaque jour de par l'absence de joueurs venant de la Belle Province.

Merci,
Martin Laforest

110 % ? Un plaisir coupable.
Jean-Pascal Carbonneau

Bonjour M. Daniel Poulin,

C'est un jeune homme de 82 ans bientôt qui vient jaser un peu avec vous, à la suite de l'invitation de la semaine dernière à *L'attaque à 5*.

Je suis amateur de hockey depuis la mort de Howie Morenz.

Étant issu d'une famille de huit enfants, il n'est pas besoin de vous dire dans quelle situation économique nous vivions.

Mes deux frères aînés distribuaient les journaux du temps, et je les dévorais même si je relisais les mêmes nouvelles.

Par la suite devenu adulte, j'ai eu la responsabilité de la publicité des Alouettes de Saint-Jérôme dans la ligue métropolitaine et dans le Junior AAA durant 12 ans.

Mais en écoutant religieusement *110 %*, et je peux vous dire que cela m'a permis d'analyser la joute avec plus de connaissances.

C'est dommage que ce genre d'émission disparaisse des ondes.

Mais les Jean Perron, les Jean-Charles, et autres de ce monde, m'ont fait passer des moments agréables.

Jean Pagé, avec sa tolérance, laissait parler les débatteurs même si parfois on n'y comprenait rien.

Le canal V devrait faire des efforts pour nous offrir encore un autre genre d'émission sportive.

Je pense que le prochain hiver va être long ; on va nous obliger à nous coucher plus tôt.

Merci à tous pour ces bons moments.

Jean Bellemare
Saint-Jérôme

À mon point de vue, un moment charnière de l'histoire de *110 %* est lorsque le coach Jean Perron a gagné sa crédibilité. Ce moment est survenu alors que François Gagnon a tourné en ridicule les propos de Perron sur le choix d'un gardien de but pour le match suivant du Canadien de Montréal.

« Là, Jean Perron, je t'ai laissé dire beaucoup de niaiseries, mais je ne peux pas laisser faire celle-ci… »

Le ton utilisé était paternaliste, hautain, réducteur et moralisateur. Perron, avec sa difficulté à rendre ses propos fluides et coulants, ne jouissait alors que d'une reconnaissance empathique des autres débatteurs. Finalement, le gardien de but choisi par le coach du Canadien fut le même que celui choisi par Perron. Il était le seul débatteur à avoir choisi ce gardien et il avait expliqué sa position avec des arguments de connaisseur chevronné.

Lors de l'émission suivante, Gagnon a dû ravaler ses paroles et Perron, dès lors, avait acquis sa crédibilité de coach qui l'a suivi jusqu'à la fin, et il est devenu un débatteur respecté.

Merci pour cette émission qui m'a suivi tout au long de mes études en médecine.

Jean-Hugues Lauzon
Québec

Bonjour M. Poulin,

Aujourd'hui, le 22 juin, je viens de voir la dernière de *L'attaque à 5* où j'ai vu qu'un livre sur *110 %* sera écrit. Vous avez invité les téléspectateurs à vous écrire sur nos souvenirs.

Je sens que je faisais partie de la famille, car j'avais un lien indirect avec l'émission. Je m'explique. Souvent, avec Michel Bergeron, il y avait plusieurs mentions des belles rivalités de la Ligue de hockey junior majeur du Québec et certains entraîneurs étaient nommés. Un de ceux-là était Ron Racette. Ron était mon oncle, décédé en 1984. Donc, quand ils parlaient de Ron Racette, ils parlaient de ma famille.

L'autre référence est plus discrète, car Jean Perron était l'entraîneur-chef des Aigles bleus de Moncton lors de leur championnat de 1981-82, et mon frère était alors membre de cette équipe.

Donc, pour moi, le programme était personnel sur des bons points.

Merci et bonne chance avec le livre
François Rochon
Rockland

Bonjour monsieur Poulin,

Où en êtes-vous dans l'écriture du livre sur l'émission 110 % ? J'attends sa sortie avec impatience, car je vis pratiquement un deuil depuis la fin de *L'attaque à 5*.

C'était vraiment mon émission préférée, et il était hors de question que je me couche sans l'écouter malgré l'heure tardive. J'en garde de nombreux souvenirs.

Le soir où Enrico Ciccone s'est fâché contre Paul Rivard et lui a demandé de venir en coulisse quand ce dernier a fait une allusion au cliché des hommes forts qui n'auraient pas de cervelle. Ciccone ne l'a pas trouvé drôle, et Rivard a dû s'excuser en ondes.

— La même chose quand François Gagnon et Pierre Rinfret ont traité Jean Perron de tous les noms. Ils ont dû s'excuser eux aussi le lendemain.

— Quand Michel Bergeron s'est étouffé.

— Que dire des envolées mémorables de Jean Perron ?

— À mon avis, Michel Bergeron était le meilleur débatteur.

— Que dire des commentaires baveux, mais savoureux de Michel Villeneuve.

— Gabriel Grégoire, qui avait le don de souvent se chicaner avec les autres débatteurs.

— Les folies de Jean-Charles Lajoie

— Aviez-vous remarqué que Jean Perron répondait souvent aux autres débatteurs sur un ton parfois baveux, mais jamais à Michel Bergeron et vice-versa. On aurait dit que les deux s'étaient donné le mot pour ne jamais se pointer directement afin de ne pas réactiver leur ancienne rivalité. Les deux se parlaient toujours avec respect, alors qu'ils ne se gênaient pas pour apostropher les autres débatteurs.

Finalement, je pourrais parler longtemps des autres débatteurs dont vous-même avec votre légendaire « laissez-moi finir, s.v.p. » et de l'excellent travail de Jean Pagé et de la recrue Évelyne qui est venue ajouter du charme à l'émission tout en faisant un excellent travail elle aussi.

Bref, j'attends votre livre avec impatience et je suis sûr que ce sera un délice de le parcourir.

Merci de me tenir au courant et félicitations à l'avance pour votre merveilleuse idée.

Bernard Vézina

Bonjour,

J'espère qu'il n'est pas trop tard…

Un de mes plus anciens souvenirs de *110 %* est une intervention de Gabriel Grégoire lors d'un débat sur la lutte au Québec. Assis à la droite de Gabriel Grégoire, il y avait un organisateur de soirée de lutte amateur dont les galas se tiennent dans un sous-sol d'église ; assis en face d'eux, il y avait également Jacques Rougeau, et une quatrième personne dont je ne me souviens pas du nom.

À un moment donné, l'organisateur déplore qu'au Québec il ne soit pas permis lors d'un combat de lutte de jeter son adversaire sur une table en feu, mais que ça le soit aux États-Unis. Gabriel Grégoire tape sur la table en interpellant l'organisateur en question en lui demandant, à peu près textuellement, ceci : « Coudons, as-tu compris le film Elvis Gratton ? » L'organisateur fut à ce point surpris qu'il n'a plus été le même pour le reste du débat. Depuis ce jour, en fait ce soir-là, j'ai eu un faible pour Gabriel Grégoire.

Il en est de même pour Serge Amyot. Je suis un fan de football et un ancien joueur. J'ai aussi joué au hockey. Je peux comparer la culture de ces deux sports. Grâce à ses interventions et à celles de Gabriel Grégoire sur les bagarres et les coups salauds au hockey, la non-application des règlements, les suspensions complaisantes et arbitraires, j'ai été presque dégoûté de cette maudite ligue de broche à foin (comme ma copine m'a entendu le dire à de nombreuses reprises durant ces années) qu'est la LNH.

Seule la saison « championne » du Canadien il y a deux ans, et les festivités de son centenaire, m'ont quelque peu réconcilié avec ce sport. Et si je ne me sens pas trop perdu en écoutant des matchs de hockey aujourd'hui, c'est grâce à *110 %*. J'ai écouté cette émission régulièrement, voire religieusement, presque tous les soirs, et ce, même si rien ne se passait durant des jours (certaines années l'émission continuait durant l'été) !

Je regrette déjà la fin de cette émission, même si régulièrement il y avait des propos qui me faisaient sourciller. On n'a qu'à penser aux propos sur les joueurs européens, en particulier sur les Russes, qui se rapprochaient de ceux de Don Cherry (que j'appelle affectueusement Donald Cerise). C'est probablement pour cette raison que *110 %* était regardé de haut par certains. Je me considère comme étant politiquement plus près de la gauche et comme étant plus intellectuel, honnêtement, j'en avais un peu honte. Je cachais et je cacherai peut-être toujours que j'écoutais *110 %*… D'un autre côté, il s'agissait d'une émission sur le sport professionnel, le sport spectacle, et c'est ce qu'était *110 %* : un spectacle ! C'est pour ça que j'étais un spectateur assidu de cette émission, c'est pour ça qu'elle a duré aussi longtemps et qu'elle aurait pu durer encore des années.

Dommage…

Denis Hébert

Montréal

Bonjour monsieur Poulin,

Je ne sais pas comment faire d'introduction pour ce sujet. Je m'appelle Luc Carbonneau, et j'ai 18 ans.

La première fois que j'ai entendu parler de *110 %*, je n'avais que 10 ans ; en réalité. À ce moment-là, le Canadien était en train de passer dans la période la plus creuse de son histoire, et, plus je grandissais, plus je prenais conscience du monde qui m'entourait. Le hockey commençait sérieusement à m'intéresser, pour ne pas dire à prendre une place très importante dans ma vie. Alors, c'est donc un vendredi soir vers la fin octobre 2003 (l'école durant la semaine m'obligeait à me coucher tôt) que j'ai regardé une émission de *110 %* avec Jean Pagé comme animateur.

À la fin de la première émission, je ne comprenais pas pourquoi les intervenants parlaient avec tant d'émotion, mais, chose est sûre, j'adorais cela. Je retentai le coup le vendredi suivant, et sans cesse par la suite durant plus de sept mois. Puis j'ai essayé de convaincre ma mère de me laisser regarder cette émission les vendredis et jeudis… mais le résultat fut négatif. L'été arriva, et enfin j'ai pu écouter l'émission tous les jours de la semaine. À la fin des vacances, j'ai retenté de convaincre ma mère ; j'arrivais au secondaire et je me disais : je grandis et je peux montrer que je suis grand.

Résultat des négociations : un non automatique. Alors, comme il était clair que le domaine des communications était celui où je voulais travailler et encore aujourd'hui cela n'a pas changé, j'ai commencé, en novembre, à regarder *110 %* en cachette. Eh oui ! À douze ans, et ce, durant plus de 2 ans, j'ai écouté *110 %* en cachette et je dois vous dire qu'y en a pas eu de facile ! Mais le risque que je prenais en valait pleinement la peine ! Et puis, vers l'âge de 15 ans, la permission fut enfin obtenue et je pus me délecter d'un péché sans pécher.

Pour moi, la personne la plus marquante restera sans aucun doute Marc de Foy. Amateur de baseball et surtout de hockey, c'est probablement lui qui détient une plaque tournante dans ma décision de travailler dans le domaine des communications. Marc, c'est une encyclopédie, c'est une bible de sports. Il a la mémoire pour se rappeler diverses transactions que ce soit dans les années 1950 ou dans les années 1990, des matchs les plus spectaculaires au hockey et au baseball, les records les moins connus au baseball. Lorsque quelqu'un se trompait, de Foy rectifiait rapidement le tir. Bref, *110 %* aura été non seulement une de mes émissions préférées à la télévision, mais aussi fort probablement la plaque tournante pour mon futur. Messieurs et chaque intervenant qui ont participé de près ou de loin à l'émission, je vous remercie sincèrement des belles années que vous m'avez fait passer, car pour moi, ces années seront inoubliables.

Luc Carbonneau
Montmagny

Épilogue

Est-il correct d'affirmer que *110 %* a atteint le statut d'émission culte ? Pour mériter un tel statut, il faut d'abord, selon l'animateur et communicateur chevronné Stéphan Bureau, « qu'une émission marque son époque, invente un modèle et développe un auditoire assidu, indéfectible et inconditionnel sur une longue période de temps, idéalement couvrant une génération de téléspectateurs ; ça peut ne pas avoir duré longtemps, mais il faut qu'une génération de spectateurs passe le flambeau à une autre ». On peut citer quelques exemples : *Le prisonnier*, série britannique de courte durée, a fasciné plusieurs générations de spectateurs ; *The Simpson*, aux États-Unis, constitue une émission absolument incontournable dans l'histoire de la télé. Chez nous, *Bobino* a accompagné plusieurs générations d'enfants ; *Appelez-moi Lise*, ce talk-show de fin de soirée qui a tant fait parler de lui ; récemment, *La petite vie*, qui a véritablement atteint des sommets de popularité quasi exponentiels et obtient encore des cotes d'écoute très élevées, même en reprise. « Le souvenir qu'on a d'une émission est souvent plus grand que c'était en réalité », d'ajouter Bureau. À mon avis, ce qui est indiscutable dans le cas de *110 %*, c'est que dans l'histoire de son diffuseur (TQS) c'est une émission qui se définit comme culte, car elle jouissait d'un auditoire qui lui était attaché et entiché de sa formule tout autant que de ses protagonistes.

L'arrivée de *110 %* dans le paysage télévisuel québécois a ramené à l'avant-scène le débat comme élément de base d'une émission à controverse sur une tribune consacrée au sport. Bien sûr, ce style de débats a donné lieu à des excès, et, très souvent, le tout s'est transformé en caricature. Mais la popularité de *110 %* ne s'est jamais démentie et à travers ses hauts et ses bas le public s'est maintenu. On en voulait toujours et encore, la cacophonie tant décriée par certains faisant partie intégrante du concept, comme le soulignent d'ailleurs de nombreux témoignages des fans. À n'en pas douter, cette espèce d'engueulade de taverne plaisait et contribuait d'une certaine manière à une sorte de défoulement des masses. Cette popularité ferait l'envie de bien des diffuseurs qui proposent des émissions au contenu beaucoup plus riche. «Je souhaite à tout le monde d'être si populaire, rajoute Stéphan Bureau ; parler à Outremont comme à Hochelaga, il n'y a pas de mauvais public.»

110 % aura rapidement fait des petits, les autres réseaux tentant d'accaparer cet auditoire précieux de fin de soirée, particulièrement dans le monde du sport, plus précisément celui du hockey. Radio-Canada d'abord, avec *La zone* ; RDS ensuite, avec *L'antichambre*. *La zone*, quoi qu'en disent les défenseurs de ce concept radio-canadien, était une copie conforme de *110 %* : un animateur, quatre débatteurs, un sujet presque toujours identique à celui abordé plus tôt à *110 %*. Qui plus est, l'animateur de *La zone* était l'ex-débatteur controversé de *110 %*, Michel Villeneuve, entouré de débatteurs dont certains avaient fait leurs débuts à *110 %*, Enrico Ciccone par exemple. L'arrivée de Villeneuve dans la famille radio-canadienne ne s'est pas faite en douceur, on le conçoit aisément. Ceux qui ont travaillé à ses côtés cependant l'ont vite adopté et ont apprécié sa compétence. «Moi, je suis capable de faire la distinction entre la personnalité publique et la personnalité "club de golf" de Michel, dira René Pothier. Autant il peut être flamboyant en public, autant il prend beaucoup moins de place en privé ; il est drôle comme c'est pas permis. Oui, il a ce côté imbu de lui-même, plein d'assurance, rien ne va lui faire changer d'idée ; mais en même temps, c'est un travailleur assez remarquable qui ne coupe pas les coins ronds. Et c'est un gars d'équipe : tous les membres de l'équipe de *La zone* ont adoré travailler avec lui.»

Bien sûr on dira que tout ce qui était l'enrobage de *La zone* était fort différent de *110 %* : le décor, l'éclairage, la présentation et, surtout, la non-cacophonie des débats. On reconnaîtra aussi une certaine nuance dans les propos. Même si Villeneuve a manifesté une timide retenue à ses débuts à *La zone*, le temps a vite fait son œuvre : chassez le naturel et il revient au galop. On a alors souvent vu un Villeneuve égal à lui-même, opiniâtre et tranchant, ce qui transformait alors *La zone* en une pâle copie de *110 %*. Confusion des genres inévitable, l'animateur devenant débatteur. Les débatteurs de *La zone* voulaient peut-être se donner des airs de panellistes articulés et un peu intellos, il n'en demeure pas moins que *La zone* demeurait un show de sport et de débats. Gérard Deltel n'avait pas tout à fait tort quand il affirmait, alors qu'il travaillait à TQS : « *La zone*, c'est juste un *110 %* de prétentieux pis de péteux de broue ! »

Au Réseau des sports, on a choisi de mettre l'accent sur la bonhomie et la jovialité, insistant sur le fait que *L'antichambre* n'avait rien à voir avec *110 %*. Après avoir recruté certains des meilleurs atouts de *110 %* — Michel Bergeron, François Gagnon, Dave Morissette, Michel Langevin —, *L'antichambre* s'est vite hissée au sommet des cotes d'écoute les soirs de hockey. La formule est sympathique, détendue et conviviale (pour employer un mot à la mode) et elle ne risque pas de déplaire, évitant toute forme de controverse. Le rire est de rigueur ; la bonne entente règne en tout temps. Les nombreux invités qui viennent agrémenter de leur présence les conversations d'après match ne courent aucun risque : ils savent fort bien qu'ils ne seront jamais mis sur la sellette. Tout le monde, il est beau, tout le monde, il est gentil. Pas de débats donc, ni de confrontations ; on est là pour s'amuser.

Si la direction du Canadien de Montréal voyait d'un mauvais œil certains débats enflammés de *110 %*, elle n'a certes pas à s'inquiéter des propos émis à *L'antichambre*. Il faut reconnaître cependant que certains soirs l'émission vise en plein dans le mille, à preuve celle du 11 janvier 2010, alors que Jacques Demers et Michel Bergeron, en compagnie d'Alain Crête, étaient particulièrement chaleureux devant un Stéphane Langdeau attentif, lui dont les éclats de rire peuvent tomber sur les nerfs de plusieurs à la longue. Le 23 mars fut également un soir mémorable à *L'antichambre* avec un invité vedette coloré à souhait, Marcel Dionne. Bertrand Raymond, Alain Chantelois et Michel Langevin accompagnaient un Langdeau en pleine forme.

D'autres émissions de télé ont suivi, dans les traces de *110 %*, la mode des débats télévisés s'emparant de presque tous les réseaux au Québec. *Il va y avoir du sport* et *La joute*, à Télé-Québec, auront tous deux attiré des auditoires respectables. Et *Le club des ex*, sur RDI, se maintient en ondes du lundi au jeudi, avec les mêmes panellistes depuis sa création, toujours animé par Simon Durivage. Ce dernier s'est montré totalement offusqué qu'on ose comparer son émission à *110 %* quand je l'ai rejoint au téléphone, rétorquant sur un ton hautain : « Je ne vois vraiment pas ce que je pourrais dire à ce sujet ; *Le club des ex* n'a rien en commun avec *110 %*. » Ah non ? Un animateur, trois (parfois quatre) débatteurs qui argumentent à qui mieux mieux sur un sujet politique et dont les élans ont même amené Durivage à dire un jour : « Arrêtez de parler tous en même temps, on se croirait à *110 %* ! »

I rest my case, conclurait-on en cour.

110 % n'est plus, victime des circonstances entourant le décès de TQS. Les soubresauts de *L'attaque à 5* durant une seule saison n'auront pas réussi à remplacer ou à faire oublier l'originale. Reviendra-t-elle un jour ? Peut-être un autre réseau voudra-t-il la faire renaître de ses cendres encore toutes chaudes. Le public de *110 %* ne demanderait pas mieux, lui qui se retrouve démuni de sa dose quotidienne de débats musclés, allumés, passionnés, amusants parfois, mais toujours spontanés, à l'image de ceux qui se tiennent en famille ou entre amis dans les chaumières de chez nous.

Tout au long de la rédaction de cet ouvrage, je ne pouvais m'empêcher de me demander ce que serait, pour tous ceux dont nous avons parlé, le débat de rêve. Et voici ce qu'ils ont dit.

Paul Rivard

- Pour un débat de rêve, je dois y aller avec le hockey puisqu'il est gage de succès. Le moteur du débat tournera du début à la fin, carburera à la passion et ne sera jamais en panne « des sens ».

- Le sujet : « Doit-il y a avoir un nombre significatif de fran- cophones au sein d'une équipe de hockey au Québec ? » Qu'il s'agisse du Tricolore et d'une nouvelle mouture éventuelle à Québec ? Avec une déclinaison du genre : « L'entraîneur d'une équipe professionnelle au Québec doit-il parler français ? »
- Pour y débattre, il faudrait des ingrédients essentiels afin que la « sauce prenne ». Un verbomoteur comme Mario Langlois, aussi pertinent qu'efficace, et un tribun comme Jean-Charles Lajoie, maniant le verbe et le sarcasme avec virtuosité. D'anciens entraîneurs des deux équipes, comme Michel Bergeron et Jean Perron. Du côté de nos collègues journalistes, François Gagnon serait un incon- tournable. Ajoutons deux vétérans éditorialistes, frères ennemis chevauchant plusieurs décennies, Réjean Tremblay et Bertrand Raymond. Et pour épicer cette sauce déjà fort relevée, le piment par excellence, agita- teur numéro un des ondes, Michel Villeneuve.
- Pour le produire, inutile de dire qu'il s'agirait d'Éric Lavallée, il est nommé d'office.
- Finalement, je me verrais comme l'animateur, mais pas pour la même raison que l'avancerait un de mes sem- blables… donc, pas parce que je me considère le meil- leur. Non. Seulement et simplement parce que j'adorerais faire partie de ce projet. Et comme on parle d'un débat de rêve, on a bien le droit de… rêver !

Michel Villeneuve

Sujet : Pourquoi n'y a-t-il pas autre chose que le hockey dans la vie des Québécois ?

Animateur : Le meilleur, moi-même

Débatteurs : Dany Dubé, Bernard Brisset, Enrico Ciccone, Martin Leclerc

Éric Lavallée

Sujet : Les Nordiques pourraient-ils damer le pion au CH en sélectionnant un grand nombre de Québécois ? En 2011, les Nordiques sont de retour avec 10 Québécois dans leur formation contre un ou deux au sein du CH. Quelle est votre équipe favorite ?

Animateurs : Paul Rivard/Jean Pagé

Débatteurs : Michel Villeneuve, Michel Bergeron, Jean Perron, François Gagnon, Enrico Ciccone, Gabriel Grégoire, Pierre Rinfret

Jean Perron

Sujet : La représentativité québécoise au sein du CH : est-elle adéquate ?

Animateur : Jean Pagé

Débatteurs : Michel Bergeron, Marc de Foy, Michel Villeneuve, Enrico Ciccone, Jean Perron

Michel Bergeron

Sujet : Retour du hockey à Québec : est-il possible/souhaitable ?

Animateur : Alain Crête

Débatteurs : Denis Coderre, Jacques Demers, Michel Bergeron, Jean Perron, Jean Pagé

Jean Pagé

Sujet : Le fait français chez le CH : est-il bien respecté ?

Animateur : Jean Pagé

Débatteurs : Jean Perron, Gabriel Grégoire, Marc de Foy, Marc Bureau, Réjean Tremblay

Mario Langlois

Sujet : Faut-il financer les amphithéâtres sportifs ?

Animateur : Mario Langlois

Débatteurs : Régis Labeaume, Jacques Ménard, Marcel Aubut, Ronald Corey

François Gagnon

Sujet :   Bob Gainey est-il le joueur et DG surévalué de l'histoire du CH ?

Animateur/débatteur : François Gagnon

Débatteurs : Michel Villeneuve, Michel Bergeron, Jean Perron, Enrico Ciccone

Jean-Charles Lajoie

Sujet :   La place du hockey dans la société québécoise est-elle excessive ?

Animateur : Jean Pagé

Débatteurs : Jean Perron, Réjean Tremblay, Michel Bergeron, Jean-Charles Lajoie

Michel Langevin

Sujet :   Une ou plusieurs défaites du CH, c'est toujours un bon sujet !

Animateur : Jean Pagé

Débatteurs : Michel Bergeron, Michel Villeneuve, Enrico Ciccone, Michel Langevin

Jacques Thériault

Sujet :   La trop grande place du CH dans le paysage médiatique.

Animatrice : Marie-France Bazzo

Débatteurs : Jacques Thériault, Gabriel Grégoire, François Gagnon, Marc de Foy

Bertrand Raymond

Sujet :   Qui devrait être à la tête du CH pour améliorer cette équipe ?

Animateur : Alain Crête

Débatteurs : Bob Hartley, Michel Bergeron, Dany Dubé, François Gagnon

Réjean Tremblay

Sujet :   Une ville qui marche : Québec vs Montréal.

Animatrice : Anne-Marie Losique
Débatteurs : Denis Coderre, Régis Labeaume, Marcel Tremblay, Jean Tremblay, Marcel Aubut, Denise Bombardier

Marc de Foy
Sujet : Le CH prend-il trop de place dans les médias ?
Animateur : Jean Pagé
Débatteurs : Michel Villeneuve, Gabriel Grégoire, Bertrand Raymond, Marc Bureau

Enrico Ciccone
Sujet : Le développement du hockey au Québec et les études.
Animateur : Michel Villeneuve
Débatteurs : Michelle Courchesne, Line Beauchamp, Gilles Courteau, Sylvain Lalonde, Gabriel Grégoire, Enrico Ciccone

P.J. Stock
Sujet : Le talent d'un joueur et la langue qu'il parle : quelle est la priorité à Montréal ?
Animateur : Jean Pagé
Débatteurs : P.J. Stock, François Gagnon, Michel Villeneuve, Michel Bergeron, Dave Morissette, Jean Perron

Philippe Lagüe
Sujet : Devrait-on remettre en question la couverture médiatique du sport au Québec ?
Animateur : Patrice Roy
Débatteurs : Ronald King, Réjean Tremblay, Pierre Foglia, Jean Dion, Bernard Brisset, Mario Clément

Bertrand Godin
Sujet : Le sport automobile est-il en déclin au Québec ?
Animateur : Paul Rivard
Débatteurs : Jacques Duval, Jacques Villeneuve, Gabriel Grégoire, Bertrand Godin

Jacques Duval

Sujet :   Pourquoi les Senateurs évoluent-ils dans une totale indifférence au Québec ?

Animateur : Jean Pagé

Débatteurs : Réjean Tremblay, Jacques Demers, Michel Langevin, François Gagnon

Dave Morisette

Sujet :   Stéroïdes et stimulants : le problème est-il réglé ?

Animateur : Alain Crête

Débatteurs : Christiane Ayotte, Mathias Brunet, Gabriel Grégoire, Dave Morissette, Michel Langevin, Bob Hartley

Bernard Brisset

Sujet :   Pourquoi le CH n'est-il plus ce qu'il a été ?

Animateur : Paul Arcand

Débatteurs : Michel Bergeron, Michel Villeneuve, Gabriel Grégoire, François Gagnon

Éric Hoziel

Sujet :   Comment se fait-il que le CH soit si populaire depuis 1995 en dépit de la médiocrité du produit sur la glace ?

Animateur : Jean Pagé

Débatteurs : François Gagnon, Michel Bergeron, Réjean Tremblay, Enrico Ciccone, Marc de Foy, Éric Hoziel

Stéphan Bureau

Sujet :   Peut-on encore croire à l'olympisme ?

Animatrice : Marie-France Bazzo

Débatteurs : Richard Garneau, Louis-José Houde, Denis Coderre, Nathalie Lambert

Daniel Poulin

Sujet :   Football, baseball, soccer : tous passent au second plan derrière le CH ! Pourquoi le Québec ne vibre-t-il que pour le hockey ?

Animateurs : Stéphan Bureau/Marie-France Bazzo
Débatteurs : d'un côté de la table : Ronald Corey, Claude Brochu, Larry Smith, Richard Legendre ; de l'autre côté de la table : Michel Villeneuve, Réjean Tremblay, François Gagnon, Denis Casavant. Substituts D'un côté : Serge Savard, Marcel Aubut ; de l'autre : Bertrand Raymond, Daniel Poulin

L'utilisation de 1631 lb de Rolland Enviro100 Print
plutôt que du papier vierge réduit votre empreinte écologique de :

Arbre(s): 14
Déchets solides: 400 kg
Eau: 37 800 L
Émissions atmosphériques: 877 kg

Imprimé sur du papier Silva Enviro 100% postconsommation
traité sans chlore, accrédité Éco-Logo et fait à partir de biogaz.

Recyclé
Contribue à l'utilisation responsable
des ressources forestières
www.fsc.org Cert no. SGS-COC-003153
© 1996 Forest Stewardship Council

Marquis imprimeur inc.

Québec, Canada
2010